MONSTRUOS, DIOSES Y HOMBRES
de la
MITOLOGIA GRIEGA

HELIO, EL DIOS DEL SOL

HERA, REINA DEL CIELO

ZEUS, SEÑOR DEL OLIMPO

HESTIA, DIOSA DEL HOGAR

IRIS, MENSAJERA DE HERA

ATENEA, DIOSA DE LA SABIDURÍA

HEFESTO, EL DIOS HERRERO

DIONISO, DIOS DEL VINO

DEMÉTER, DIOSA DE LA AGRICULTURA

APOLO, DIOS DE LA MÚSICA

AFRODITA, DIOSA DEL AMOR

POSIDÓN, DIOS DEL MAR

EROS, DIOS DEL AMOR

MONSTRUOS, DIOSES Y HOMBRES
de la
MITOLOGIA GRIEGA

Textos de MICHAEL GIBSON

Ilustraciones de GIOVANNI CASELLI

ANAYA

ARES, DIOS DE LA GUERRA

PAN, DIOS DEL CAMPO

ARTEMIS, DIOSA DE LA CAZA

HERMES, MENSAJERO DE LOS DIOSES

CARONTE, EL BARQUERO

CERBERO, EL PERRO GUARDIÁN DEL HADES

HADES, SEÑOR DE ULTRATUMBA Y PERSÉFONE, SU REINA

© 1977, Eurobook Limited, Londres
© 1984, Grupo Anaya, S. A., Juan Ignacio Luca de Tena, 15
28027 Madrid, para la edición castellana

Título original: *Gods, Men and Monsters from the Greek Myths*
Traducción: Emilio Pascual

Primera edición, octubre 1984; Segunda edición, abril 1985
Tercera edición, septiembre 1985; Cuarta edición, enero 1986
Quinta edición, junio 1986; Sexta edición, mayo 1987
Séptima edición, junio 1988; Octava edición, junio 1989
Novena edición, junio 1990; Décima edición, junio 1991
Undécima edición, septiembre 1992; Duodécima edición, marzo 1995
Decimotercera edición, septiembre 1996

ISBN: 84-207-3360-1
Depósito legal: M. 23.472/1996
Impreso en ORYMU, S. A. Ruiz de Alda, 1
Polígono de la Estación. Pinto (Madrid)
Impreso en España - Printed in Spain

Contenido

El mundo de los dioses

Grecia es una tierra de contrastes. Tiene bajas llanuras, colinas y cadenas montañosas. Aquí y allá, a lo largo de una costa caprichosamente recortada, se ven altos arrecifes, y los mares de los alrededores están salpicados de islas grandes y pequeñas, unas habitadas, otras no. Las llanuras son fértiles, y en sus declives hay viñedos. En primavera, las zonas más salvajes resplandecen de flores silvestres, que trepan también por las primeras pendientes y contrastan con el color verde oscuro de la hierba. Pero los colores brillantes duran poco, porque el calor del sol estival marchita las flores con la misma rapidez con que se abren. Entonces, la única vegetación de los valles más resguardados se reduce a manchas de pinos enanos.

En los tiempos antiguos, el terreno era mucho más boscoso y fértil. Durante muchos siglos pacieron rebaños de ovejas y cabras, destruyendo así los árboles jóvenes y los arbustos. La falta de este tipo de vegetación, la ausencia de raíces profundas que mantuvieran la cohesión del terreno, cuando se secaba bajo el sol abrasador del verano, dieron como resultado un suelo polvoriento, que podía ser barrido con facilidad. Fueron apareciendo las rocas, y en el escaso terreno de las hendiduras sólo podían sobrevivir las hierbas más resistentes, las que crecen mejor en pobres condiciones. Sin embargo, en el tiempo de las leyendas aún no había sucedido nada de esto, y los bosques y las selvas eran frondosos.

La costa probablemente es muy parecida a la de los viejos tiempos. Como era de esperar en una tierra tan rica en puertos naturales, los antiguos griegos eran excelentes navegantes. Su influencia se extendió más allá de tierra firme y de las islas de los alrededores hasta muchos países del Mediterráneo, particularmente los orientales. La misma Grecia, aun siendo un único país, estaba subdividida en muchas ciudades-estado, cada una de las cuales tenía su rey y su reina y las familias reinantes. A veces, estos estados se unían en una causa común, como sucedió en la guerra contra Troya y en el largo asedio que la siguió; otras veces se trataba de una fuerte rivalidad entre estado y estado, o cuando menos de un fuerte espíritu de independencia. Muchos estados estaban separados de sus vecinos por altas cadenas montañosas, lo que hacía difíciles las comunicaciones.

El aislamiento de los estados fue una de las causas por las que las historias de los dioses y de los mortales eran diferentes según los lugares. Se transmitieron oralmente de generación en generación, y no se pusieron por escrito hasta mucho después. El que las

11

contaba daba su versión, elaborándola según su propia fantasía. Progresivamente, una parte del país fue aceptando una historia determinada, que podía diferenciarse enormemente de la de otro lugar. Pocas personas viajaban lo suficiente para poder confrontar las distintas versiones. Sólo seiscientos o setecientos años antes del nacimiento de Cristo, y unos cuatrocientos años después de la caída de Troya, el poeta Homero y algunos otros escritores griegos empezaron a recoger las historias. Homero escribió dos grandes poemas narrativos sobre los antiguos héroes: la *Ilíada,* que narra la historia del asedio de Troya, y la *Odisea,* que cuenta el viaje de regreso de Ulises después de la guerra.

Siempre hay algún elemento de verdad en las leyendas populares de la mayor parte de los países, y es igualmente probable en lo que respecta a Grecia. Los arqueólogos han encontrado muchos objetos que parecen tener alguna relación con los relatos. Quizá el ejemplo más famoso sea el del comerciante alemán Heinrich Schliemann. Ya desde niño, las leyendas de Grecia eran sus lecturas preferidas. Estaba firmemente convencido de que muchas estaban basadas en hechos reales, y de mayor se dedicó a los negocios con el fin de ganar dinero suficiente para poder realizar su sueño: encontrar la antigua ciudad de Troya. Estudió detalladamente los textos durante muchos años, y luego, siguiendo las más mínimas indicaciones, comenzó a hacer excavaciones. Y ante el asombro de los arqueólogos de su tiempo que habían ridiculizado sus teorías, encontró la localidad de Troya.

Como todos los pueblos primitivos, los griegos no creían en un solo dios. Tenían muchas divinidades, algunas de ellas asociadas a las principales fuerzas de la naturaleza o a los sentimientos humanos. Así, Posidón era el dios del mar, y Afrodita, la diosa del amor. Antes de entrar en batalla, los griegos solían pedir ayuda a Ares, el dios de la guerra. Otros dioses o diosas eran elegidos para representar actividades prácticas o de esparcimiento: Hestia era la diosa del hogar; Deméter, la diosa de la cosecha; Apolo, el dios de la música; Atenea, la diosa de las artes y de la sabiduría. En varios lugares se encontraron oráculos, templos especiales donde los sacerdotes y las sacerdotisas interpretaban los mensajes de los dioses: el más famoso es el de Apolo en Delfos. Tanto los dioses como las diosas fueron adoptados como patro-

nes de una ciudad o de un estado: Atenea lo era de Atenas. Y allá en lo alto del Olimpo, un monte al norte de Grecia, Zeus mandaba sobre todos los dioses.

Más tarde, tal vez porque los antiguos griegos deseaban sentirlos más cercanos, los dioses fueron descritos en las leyendas como participantes en las aventuras humanas. Sin embargo, había normas muy rígidas sobre lo que los mortales podían o no podían hacer. Por ejemplo, no podían desafiar la supremacía de un dios, y los pocos que lo intentaron tuvieron que arrepentirse, porque los dioses eran celosos y vengativos.

Aún tuvieron los griegos otro modo de hacer a sus omnipotentes dioses menos austeros: el de atribuirles debilidades humanas. Zeus, de quien como dios supremo cabría esperar un comportamiento siempre responsable, era incapaz de resistir a los encantos de una bella muchacha, con harto despecho de su mujer Hera.

Algunos de los hechos terroríficos descritos en las leyendas probablemente tuvieron origen en historias que venían del exterior de Grecia. Una parte de esas mismas leyendas parece proceder de tiempos mucho más remotos e incluso del Lejano Oriente, donde se han encontrado las mismas tramas, aunque con personajes diferentes. Si esto es verdad, probablemente los griegos adaptaron a sus prácticas rituales, cuyo verdadero significado se había olvidado, historias traídas por los invasores u oídas en otras tierras. Algunas de esas historias tenían su origen en países mucho más primitivos, donde la vida humana no valía gran cosa, y la tortura y otras crueldades eran consideradas parte integrante de la vida. Entre los mismos griegos, los sacrificios humanos no eran cosa desconocida, y los de animales eran moneda corriente.

Además de los dioses, en las leyendas griegas había muchas criaturas míticas. Por ejemplo, los centauros, medio hombres y medio caballos; los sátiros, mitad hombre y mitad cabra; las ninfas del mar y de los bosques, las nereidas y las dríadas. Estas extrañas criaturas vivían en la tierra, pero tenían poderes especiales como los dioses. Tifón, o Tifeo, de cuyas manos le salían cien cabezas de serpientes, y su mujer Equidna, mitad mujer y mitad serpiente, engendraron muchos monstruos horripilantes. Fueron éstos: Orto, contra el cual combatió Hércules; Cerbero, el perro de las tres cabezas, guardián de la entrada del Hades; la Quimera, con cabeza de león, cuerpo de cabra y cola de serpiente; la terrible Esfinge de Tebas, que estrangulaba a sus víctimas; la Hidra de Lerna, con sus nueve cabezas de serpiente; el león de Nemea, que se comía a los hombres.

Los monstruos representaban las fuerzas del mal, y la supresión del mal es un tema recurrente en todos los relatos. Con frecuencia, los héroes tenían la difícil tarea de enfrentarse solos con el monstruo para afirmar el triunfo del bien. Si eran valientes, podían contar con la ayuda de un dios en el momento crucial.

Los dioses que los griegos adoraban, y que tuvieron un papel importante en sus leyendas, son conocidos como los nuevos dioses. Su historia se remonta a los orígenes de los tiempos, cuando fue creada la tierra. En el principio era el Caos, una masa no claramente definida, sin forma. Del Caos surgió la Madre Tierra, y su hijo Urano la modeló tal como la conocemos nosotros, con las flores, los árboles, los animales y los pájaros. De la Madre Tierra y de Urano nacieron los tres Cíclopes, con un solo ojo, y los doce gigantescos Titanes, seis varones y seis hembras. Urano miraba con horror a estos hijos suyos, y a medida que nacían los iba relegando a las más lejanas profundidades de la tierra. La madre los amaba y se lamentaba de su suerte. Convenció a Crono, el más pequeño de los Titanes, de que se vengara. Un día, mientras Urano estaba durmiendo, Crono lo hirió con una hoz dentada. Tres gotas de sangre de Urano cayeron sobre la Madre Tierra y dieron origen a las terribles Erinies o Furias. Desde entonces, Crono, con su mujer Rea, reinó sobre los Titanes. Pero Urano, al morir, le había predicho que uno de sus hijos lo arrojaría del trono y reinaría en su lugar. Crono vivía así en continua sospecha y, como no podía destruir a sus hijos porque eran inmortales, los devoraba en cuanto nacían. Pero cuando su mujer supo que iba a nacer el sexto, se retiró a Arcadia. Allí nació Zeus. Rea lo escondió en una cueva y lo confió a los cuidados de las ninfas Adrastea, Ida y Amaltea.

Habían llegado los nuevos dioses.

Una de las más bellas leyendas mitológicas de la época de la creación del mundo y del hombre es la de la edad de oro, que cuenta el poeta latino Ovidio en los espléndidos versos del libro I de sus *Metamorfosis*:

«Empezó la edad de oro, y en ella se echaban de ver naturalmente la fidelidad y la justicia, sin que hubiera leyes que las hiciesen observar ni jueces que las vindicasen. No se conocía el castigo ni el temor, ni se grababan en bronce las leyes amenazadoras, ni delincuente alguno se veía temblando en presencia del juez, porque todos vivían seguros sin necesidad de que nadie los defendiese. No había entrado en el mar árbol alguno cortado de los montes para descubrir tierras extrañas, ni el hombre conocía otro país que aquel en que había nacido. Aún no ceñían las ciudades fosos ni murallas; los clarines marciales, trompas, morriones y espadas no se conocían en aquel tiempo, pues sin la defensa del soldado vivían los hombres tranquilos en brazos de la dulce paz. La tierra libre, sin ser tocada por los rastrillos ni hendida por el arado, producía todo género de frutos, y sus habitantes, contentos con sus productos naturales, se alimentaban de madroños, fresas y cerezas, y de la bellota que, sazonada, caía de las copudas encinas. La primavera era continua; los blandos céfiros agitaban mansamente con suaves soplos las flores, que nacían sin que nadie las plantase. También la tierra producía trigo sin el cultivo del arado, y el campo, sin renovarlo, se ponía dorado con las granadas espigas; ya corrían ríos de leche, ya de néctar, y el verde sauce destilaba menudas gotas de la más sabrosa miel.»

13

Los nuevos dioses: Zeus y Hera

Con el nacimiento de Zeus comenzó la era de los nuevos dioses, pero no por eso los Titanes se desvanecieron de la noche a la mañana. Algunos siguieron viviendo con sus hijos en la nueva edad. Quedaban, sin embargo, viejas cuentas que saldar y entuertos que enderezar.

Cuando Crono descubrió lo que Rea había hecho con el último hijo, se enfureció sobremanera y ordenó que buscasen al niño. Para encubrir los vagidos del pequeño cuando los buscadores se acercaban a la caverna, las ninfas danzaban a la entrada golpeando con lanzas y espadas en escudos de bronce. Más tarde, para engañar a Crono, colgaban la cuna de las ramas de un árbol, de suerte que Zeus no estaba ni en la tierra, ni en el cielo, ni en el mar. Sin embargo, la búsqueda proseguía, y Rea sabía que, si no ponía algún remedio, más pronto o más tarde acabarían encontrando al niño. Tomó entonces una gruesa piedra, la envolvió en pañales y se la presentó a Crono como si fuera su último hijo, y él se la tragó como había hecho con los otros.

Ahora creía estar a salvo. Entre tanto, Zeus crecía al cuidado de las ninfas. De cuando en cuando, Rea iba a verlo y le contaba lo que les

había sucedido a sus hermanos. Una vez llegado a la edad adulta decidió vengarlos. Fue con su madre a ver a Metis, una oceánide de la familia de los Titanes que no simpatizaba con Crono, y juntos elaboraron un plan.

Crono no había visto nunca a su hijo, y así, cuando su mujer le presentó un joven copero haciéndose lenguas de sus grandes cualidades, lo tomó a su servicio. En cuanto se convirtió en un servidor de confianza, Zeus hizo una poción y la echó en la copa de su padre. El efecto fue inmediato y violento: de su boca salieron sanos y salvos Hades, Posidón, Deméter, Hera y Hestia, los dos hijos y las tres hijas que había devorado. Y salió también la piedra que Rea le había presentado como el pequeño Zeus.

Una vez libres, Posidón y Hades estaban ansiosos de vengarse, y convencieron a Zeus de que los guiara contra los Titanes que habían ayudado al viejo Crono. El jefe del ejército de los Titanes era Atlas.

La guerra entre los viejos y los nuevos dioses fue larga y difícil. Finalmente aconsejaron a Zeus que buscase la ayuda de los Cíclopes, que entre tanto seguían estando prisioneros en las entrañas de la tierra. Zeus fue hasta ellos y los liberó. En agradecimiento, hicieron un regalo a los tres hijos de Crono: a Zeus un rayo, que se convertiría en su arma más característica; a Hades un yelmo, que tenía la virtud de hacerlo invisible; a Posidón un tridente. Así armados se llegaron hasta su padre. Hades, sin ser visto, lo desarmó, Posidón lo amenazó con el tridente y Zeus lo abatió con el rayo. El golpe mató a Crono al instante.

La muerte del dios por el que tanto tiempo habían combatido desanimó a los Titanes, que se descuidaron y fueron derrotados fácilmente por los Cíclopes. Excepto dos, todos fueron arrojados a los profundos abismos del Tártaro a sufrir las penas eternas. A Crono se le permitió vivir en los Campos Elíseos, y Atlas fue condenado a llevar eternamente la bóveda celeste sobre sus poderosos hombros.

Entonces Zeus empezó a discurrir en su mente nuevas empresas, y su primera preocupación fue la creación del género humano. Primero creó a los hombres de la edad de oro, que vivían en el paraíso. Cantaban y bailaban todo el día, y se alimentaban de las riquezas de la tierra. No trabajaban, y su vida transcurría completamente feliz. Envejecían y morían, pero sus espíritus vagaban por la tierra velando por el bienestar de las generaciones siguientes.

Después les tocó a los hombres de la edad de plata. A diferencia de los primeros hombres, no se mantuvieron al margen de los más bajos instintos. Eran brutales y necios, se negaban a ofrecer sacrificios a sus creadores, se peleaban entre sí. Zeus se dio cuenta de que no mejorarían y los destruyó sin pesar.

A continuación fueron creados los hombres de la edad de bronce, más inteligentes pero no mucho mejores que sus predecesores. Empleaban su mente no para crear cosas bellas y útiles, sino para inventar y fabricar armas de guerra. Se destruyeron mutuamente y fueron enviados a vivir para siempre en el profundo abismo. Ovidio continúa describiendo así estas edades:

«La edad de plata, inferior a la de oro, pero superior a la del pálido bronce, apareció sobre la tierra cuando Júpiter (Zeus) precipitó en el oscuro Tártaro a su padre Saturno (Crono) y se apoderó del imperio de la tierra. A las edades de oro y plata sucedió la de bronce, más áspera que aquéllas por la crueldad de los vivientes y pronta para las horribles armas; pero no del todo viciada. La última edad fue la de hierro e inmediatamente se originó de ella toda maldad con un siglo de peor vena. Desaparecieron el pudor, la verdad y la lealtad, y en su lugar se entremetieron el engaño, la traición, la violencia y la insaciable codicia. El piloto se entregaba a los vientos sin conocerlos y las naves, que durante tanto tiempo habían sido el decoro de los encumbrados montes, fueron abandonadas a la furia de las olas no tratadas; ya se hizo indispensable que el diestro agrimensor señalase límites a la tierra, común antes a todos, como lo eran la luz y el aire, y no contentos con las abundantes cosechas que producía iban a extraer de sus entrañas las riquezas que escondía y había depositado en el infierno, y después fueron el origen de innumerables males. Ya estaba descubierto el nocivo hierro y el oro, aún más perjudicial, cuando se apercibe la guerra a lidiar con ambos y hace resonar por todas partes el estruendo de las armas con mano sanguinaria. Vivíase del hurto, y el huésped arriesgaba su seguridad. El suegro no estaba seguro del yerno y apenas los hermanos vivían en paz. Velaba el marido por quitar a su mujer la vida, y ésta, al marido; la despiadada madrastra hacía uso del veneno, y los hijos, antes de la

muerte de sus padres, averiguaban los años que podían vivir. La piedad estaba en el olvido y la doncella Astrea abandonó la última de los dioses la tierra, contaminada ya con la sangre de los malos.»

Zeus se desanimó, y se preguntó si era una buena idea eso de crear la raza humana y si valía la pena proseguir. Al fin decidió hacer otra intentona y creó a los hombres de la edad heroica, muchos de los cuales se convertirían en los héroes de las leyendas de tiempos posteriores. Para formar a los héroes pidió ayuda a un sabio Titán: Prometeo.

Se creía que el Olimpo, donde vivían los inmortales, era la montaña más alta del mundo. Allí habitaban Zeus, Hermes, Posidón, Hefesto, Ares y Apolo, los dioses más importantes, y Atenea, Hera, Ártemis, Afrodita, Hestia y Deméter, las diosas más veneradas. Estos doce dioses estaban en primerísimo plano, bajo la soberanía de Zeus, y luego había otros, como Helio, Leto, Dioniso y Temis, que eran menos importantes. Pan, el dios pastoril de Arcadia, estaba más asociado a los campos que al Olimpo. Hades, el hermano de Zeus, habría podido incluirse por importancia entre los doce primeros, pero raras veces, si no nunca, iba al monte. Era feliz viviendo bajo tierra, dueño de las sombras de los muertos.

La vida en el Olimpo era hermosa. Los dioses pasaban el tiempo banqueteando, alimentándose con la carne de los sacrificios que los humanos ofrecían en su honor, y bebiendo néctar en las copas de oro que dioses de menor importancia, como Hebe y Ganimedes, les llenaban hasta el borde. Mientras comían y bebían, Apolo los deleitaba con la música de su lira, y las nueve musas cantaban.

Pero no siempre estaban presentes todos los dioses, porque les gustaba ir a la tierra para tomar parte en las aventuras de los hombres.

Muchos héroes mortales habrían encontrado la muerte antes de tiempo si algún dios o alguna diosa no hubiera acudido en su ayuda. En tales aventuras, los dioses corrían con frecuencia grandes riesgos, aunque el hecho de ser inmortales les daba una gran ventaja. Podían ser heridos, pero sus heridas se cicatrizaban inmediatamente; además, podían cambiar de forma para conseguir sus fines. Sin embargo, en general, tomaban forma humana para poder pasar desapercibidos.

Aunque Zeus era el dios supremo, también él estaba sometido a la guía del Destino, la fuente de toda sabiduría. Siguiendo los sabios consejos del Destino, Zeus mantenía el orden en el universo; a través del Destino podía verlo y saberlo todo. Podía hacer justicia a los ofendidos, proteger a los pobres, a los débiles y a los ignorantes. Los antiguos griegos lo adoraban como dios del cielo, señor de los vientos, de la lluvia y del trueno, y Zeus les hablaba directamente o a través del oráculo de Apolo en Delfos.

Hera pasó a ser la mujer de Zeus, pero no fue la primera ni la única. La primera fue Metis, de la familia de los Titanes; luego vino Temis, una hija de Urano, que engendró a Paz, Justicia y las tres Parcas. Estas hijas de la noche fueron las diosas encargadas de señalar y ejecutar el destino de los mortales, y sobre todo su muerte. Temis permaneció en el Olimpo aun cuando Zeus se casó con Hera, porque éste tenía muy en cuenta su juicio y solía consultarla sobre muchos problemas.

A Temis siguieron otras dos mujeres: Mnemósine y Eurínome. La primera tuvo nueve hijas, las Musas, cada una dedicada a un arte diferente, aunque las nueve eran aficionadas a la música. Las desgraciadas hijas de un rey de Macedonia, que osaron desafiar su supremacía en el arte del canto, fueron convertidas en

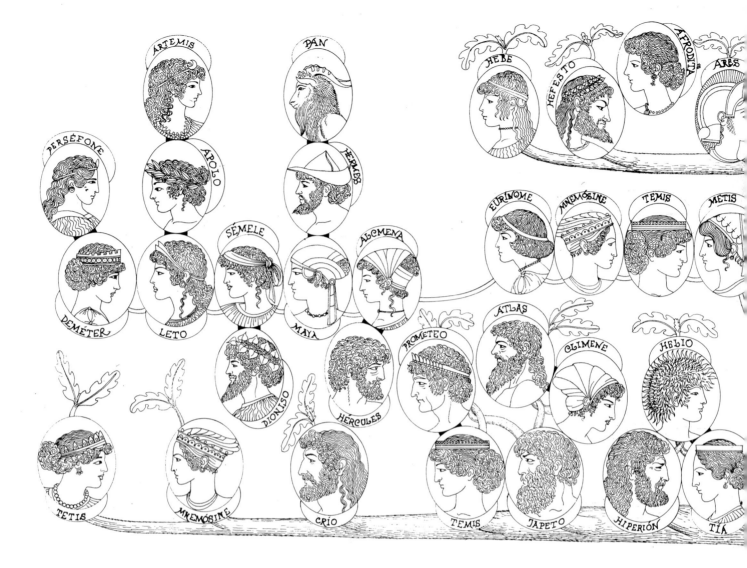

urracas. La otra mujer dio a Zeus las tres Gracias.

Entre tanto, Zeus se había vuelto muy orgulloso por su supremacía sobre los otros dioses, y su soberbia los ofendía. Unos cuantos, animados por Hera, que se sentía postergada por su marido, pensaron que necesitaba una lección. Se apoderaron de él y lo ataron con cuerdas bien prietas con más de cien nudos. Inerme, Zeus se puso hecho una furia, pero los otros no hacían más que reírse y bromear, preguntándose en sus narices quién sería su sucesor. Zeus comprendió que, si no ponía remedio, cualquiera podría arrebatarle el puesto, como él se lo había arrebatado a su padre.

Mientras intentaba en vano liberarse, los otros estaban preocupados con la idea de una nueva guerra entre los dioses. Entre éstos se encontraba la ninfa del mar Tetis, que pasó inmediatamente a la acción, y llevó a Briareo, un gigante con cien brazos, hijo de Urano, al sitio

en que Zeus permanecía atado. Con sus cien manos, el gigante lo liberó. El poderoso dios estaba ahora sediento de venganza: Posidón y Apolo, que habían acaudillado la conspiración, fueron arrojados a Asia Menor a trabajar en la construcción de las murallas de Troya; Hera fue suspendida en el vacío con un pesado yunque de bronce en cada pie hasta que los otros prometieron que no volverían a rebelarse.

Zeus y Hera eran una extraña pareja, y pasaban la mayor parte del tiempo peleándose o haciéndose la guerra. El culpable era casi siempre Zeus, que, si bien la respetaba en muchos aspectos, continuamente andaba haciendo planes para engañarla y marcharse a sus aventuras; sin embargo, Hera lo descubría casi siempre y protestaba acaloradamente.

Hera se había criado en Arcadia, y allí fue Zeus a buscarla cuando su mujer Eurínome se hubo marchado. Era invierno. Estaba nevando, y Zeus consiguió conmoverla y enamorarla fin-

La familia de los Dioses

giéndose un pobre cuclillo aterido de frío. La joven lo tomó entre los brazos para calentarlo. La atracción entre ambos no disminuyó cuando Zeus recobró su forma ordinaria. Decidieron casarse, y el Monte Olimpo se llenó de cantos y alegría cuando llegó la noticia.

La pareja se vio inundada de regalos. La Madre Tierra regaló a Hera un árbol que daba manzanas de oro. Fue plantado en un jardín en la falda del Monte Atlas, muy cerca del sitio en que Atlas llevaba su pesado fardo a las espaldas. A su tiempo, Hera tuvo a Ares, el dios de la guerra; a Hefesto, el dios artífice, y a Hebe, que pasó una vida tranquila al servicio de los otros dioses.

Es difícil explicar las constantes infidelidades de Zeus, porque Hera aparecía ciertamente joven y hermosa. Quizá era un poco severa, y se tomaba excesivamente en serio su papel de reina de los dioses.

Una vez, harta de las continuas aventuras de Zeus, lo dejó y volvió a la isla de Eubea, donde había pasado los primeros años de su vida antes de ir a Arcadia. El marido ideó todos los medios posibles para inducirla a volver, pero Hera persistió en su terquedad. Entonces, Zeus preparó un plan que habría resultado a la primera, pues bien sabía él lo celosa que era.

Mandó hacer la estatua de una bellísima muchacha, le puso un vestido de boda tejido de oro, y en la cabeza le colocó una corona de perlas. La estatua fue colocada en un carro y la llevaron a dar vueltas por la isla, acompañada de heraldos que aclamaban a la futura esposa. Enfurecida, Hera saltó al carro y arrancó los vestidos de su rival, descubriendo así que había sido burlada. Sin embargo, comprendió cuáles eran sus verdaderos sentimientos hacia Zeus, y y no le quedó más remedio que volver al Olimpo.

Más adelante contaremos la extraña historia de cómo Zeus dio a luz a Atenea, pero el hecho llenó de celos a Hera, que habría querido para sí tal privilegio. Llamó en su ayuda a la Madre Tierra y a los Titanes, y su deseo fue oído, pero en lugar de un hijo hermoso le nació el monstruo Tifón.

Hera se mostraba despiadada con sus rivales y con cualquier mujer que pudiera representar un peligro para ella. Antígona, hija de Laomedonte de Troya, que se vanagloriaba de tener los cabellos más hermosos y más brillantes que los de la diosa, fue inmediatamente castigada, y sus cabellos se convirtieron en un nido de serpientes enmarañadas. En otra ocasión, las hijas del rey de Argos hablaron despectivamente de una estatua de Hera, y ésta las volvió locas. Sólo la intervención de un famoso adivino pudo convencer a la diosa de que les devolviera el juicio.

Cuando no era provocada por Zeus, Hera se mostraba prudente y piadosa. Le agradaban los mortales nobles y valerosos, y con frecuencia iba en su ayuda cuando se veían en dificultades. Su mano guió a Jasón durante el largo y peligroso viaje a la búsqueda del vellocino de oro.

El comportamiento de Zeus, cuando lograba hurtarse al ojo vigilante de su mujer, era a menudo innoble. Una vez estaba mirando desde el Olimpo y vio a Ío, la bellísima hija de Ínaco de Argos, y al instante se enamoró de ella. Fue a visitarla y, mientras estaba con ella, vio acercarse a su mujer, que en el ínterin lo había descubierto. Entonces transformó a la muchacha en una vaca blanca, y simuló que era una vaca del rebaño que estaba paciendo allí cerca. Pero Hera no se dejó engañar, y se comportó como si pensara que la vaca era un regalo para ella. Zeus no tuvo más remedio que volver a subir con su mujer al Monte Olimpo.

Al día siguiente volvió para devolver a Ío su verdadero semblante, pero descubrió que estaba custodiada por Argos Panoptes, un gigante con cien ojos mandado por Hera. Zeus no pudo usar sus rayos contra él, porque así habría revelado su culpa. Entonces recurrió a Hermes, el conciliador del sueño, que con una dulce cantilena logró adormecer a Argos. Fue su último sueño: de un tajo, Hermes le cortó la cabeza.

Espantada, Ío huyó, y anduvo errante durante muchos meses hasta que llegó al lejano Egipto. Allí recobró su forma humana y tuvo al hijo de Zeus, que llegaría a ser el primer faraón del reino del Nilo.

Hades, el señor de ultratumba

El nombre de Hades puede prestarse a confusión, porque los antiguos griegos lo utilizaban indistintamente para denominar al dios que reinaba en el mundo subterráneo y para designar al mundo subterráneo mismo. Si bien era el mundo de los muertos, el Hades de los griegos no representaba la idea posterior del infierno. Era el lugar adonde iban a parar todos los muertos, buenos o malos, guiados por el mensajero Hermes: su destino se decidía al llegar allí. Unos, particularmente los que habían ofendido a los dioses, sufrían; otros, los que habían sido buenos o prudentes o habían realizado empresas valerosas, llevaban una vida muy feliz. Hades, un dios severo, pero justo, reinaba sobre todo y sobre todos.

El dios Hades no aparece con frecuencia en las leyendas griegas porque, una vez que eligió su mundo, raramente lo dejaba. Una o dos veces, encaprichado de una ninfa, se había aventurado fuera con su carro tirado por siniestros caballos negros, y en una breve visita a la tierra raptó a Perséfone, la hija de Deméter.

El reino de Hades tiene, sin embargo, un papel bastante importante en las leyendas griegas. Muchos héroes griegos, acompañados por dioses, lo visitaron estando aún en vida; era preciso tener una extraordinaria habilidad o asegurarse el auxilio divino para poder entrar y salir del Hades.

Al principio se creía que el Hades se hallaba al oeste, más allá del horizonte, donde nacía el río Océano, que circundaba la tierra. Más tarde, otras historias aportaron descripciones de cavernas oscuras y profundas, pasadizos tenebrosos que conducían al mundo de ultratumba. Por cualquier parte que entrasen, los muertos siempre podían contar con Hermes para no equivocarse de camino.

Cuando un muerto era sepultado, se le ponía en la boca una monedita llamada óbolo. Pronunciando palabras de confortación, cuando las juzgaba necesarias, Hermes llevaba la sombra del muerto lejos de sus familiares, allá abajo, a las profundidades de la tierra hasta los umbrales del Hades. Allí tenían que pararse, porque el mundo de los infiernos estaba completamente rodeado de ríos de aguas lentas y estancadas. La Estige, o Estigia, era la laguna o río que rodeaba la parte occidental del Hades, llamada Tártaro, y sus afluentes, el Aqueronte y otros cuatro, rodeaban el resto.

La travesía se efectuaba por la Estige, donde el rudo barquero Caronte transportaba las almas de los muertos. Hades lo había instruido, amenazándolo con duros castigos si desobedecía, para que no dejara cruzar el río a ningún ser vivo, cualquiera que fuese la ra-

21

zón que lo impulsaba a querer entrar en el mundo de los muertos. Con todo, una o dos veces, personas particularmente valerosas lograron burlar su vigilancia o convencerlo de que hiciera una excepción a la regla.

La sombra, dejada por Hermes a la orilla de la Estige, subía a bordo. Caronte hundía los remos en las aguas cenagosas, y la barca se movía lentamente, alejando para siempre a sus pasajeros del mundo de los vivos. Al otro lado los esperaba Cerbero, un perro monstruoso con tres cabezas. Pero, pese a su aspecto horripilante, Cerbero no hacía ningún daño a las sombras de los muertos.

Una vez desembarcada, la sombra tenía que atravesar la llanura de Asfódelo, un lugar gris, chato y nebuloso con árboles de ramas inclinadas hacia el suelo. Las hojas, movidas continuamente por el viento, rozaban el suelo como en un lamento. Allí, los mortales menos afortunados, los mediocres, se pasaban la eternidad dando vueltas sin objeto.

Más allá de la llanura de Asfódelo estaban los verdes prados del Érebo y la laguna Lete —o río Leteo—, donde iban a beber los muertos comunes. Todo el que bebía en sus aguas olvidaba inmediatamente la vida pasada, y por ello, las sombras de los muertos comunes ni siquiera tenían recuerdos en que apoyarse. Más adelante se alzaban las torres del palacio de Hades, pero a ningún muerto se le concedía el privilegio de atravesar sus umbrales.

Antes de llegar a los límites del palacio real, las sombras se detenían en espera del juicio sobre su vida pasada. Los jueces eran Minos, Radamantis y Éaco, elegidos por su gran sabiduría y por la vida ejemplar que habían llevado. Todos los días los muertos que iban llegando eran llevados a su presencia: unos aparecían temblorosos, porque habían vivido mal; otros, tranquilos y silenciosos; otros, indiferentes.

Después de haber sido juzgadas, las sombras debían tomar uno de los tres senderos. El primero conducía a la llanura de Asfódelo: era éste el sendero más frecuentado, porque pocos lograban convencer a sus jueces de que tenían derecho a un trato distinto, y así muchos permanecían eternamente en aquel triste lugar donde la noche y el día no eran más que un eterno crepúsculo. Algunos, los grandes héroes o los que habían satisfecho a los dioses con sacrificios o los que habían hecho favores aun a costa de su vida, eran más afortunados. Al final del segundo sendero los esperaban los Campos Elíseos.

Allí brillaba el sol, y las únicas nubes del cielo azul eran blancas y vaporosas. Los pájaros cantaban en los árboles, especialmente entre las ramas del alto álamo blanco que, antaño, había sido hija del dios Océano. El son de la música de la flauta o de la lira y la danza alegraban continuamente la vida. No existía la noche, porque las sombras no necesitaban descanso, y banqueteaban cada vez que alguien lo deseaba. El vino era abundante, pero a nadie le hacía daño.

Los que tenían la suerte de llegar a los Campos Elíseos gozaban de otro privilegio que las

sombras de la llanura de Asfódelo habrían deseado por encima de todo: podían volver a la tierra si querían. Pero su nueva vida era tan feliz, que poquísimos se decidían a dejarla, ni siquiera por un tiempo mínimo.

El prudente juez Radamantis gobernaba en los Campos Elíseos. Uno de sus súbditos era el Titán Crono. Puede parecer extraño que Crono fuera aceptado en aquel lugar, pues había sido, en efecto, un dios cruel y celoso. Sin embargo, algunos de los primerísimos dioses, Crono entre ellos, tenían derecho a vivir en los Campos Elíseos cuando alguien ocupaba su puesto, dado que no se puede hablar de muerte para los dioses. Por lo demás, no hay noticia de que Crono perturbase alguna vez la tranquilidad de los demás; su comportamiento no era distinto del de un viejo gentilhombre que, aun teniendo fama de haber sido turbulento y alborotado en su juventud, ahora se contenta con vivir de recuerdos.

El tercer sendero conducía al Tártaro, la tierra bordeada por una parte de la Estige. A veces, el nombre de Tártaro designaba todo el Hades. A la entrada había una enorme puerta de bronce cerrada por dentro, que sólo se abría para recibir a los muertos que iban llegando. El Tártaro era muy parecido al infierno de los cristianos, un lugar de penas y condenación eterna reservado a los malvados, a aquellos que habían desafiado a los dioses. En las altas murallas triples que lo rodeaban los gritos de angustia resonaban sin cesar.

De todos los eternos condenados quizá los más conocidos fueran los Titanes, los viejos dioses que Zeus y sus hermanos habían destronado. Sólo el viejo Crono vivía en los Campos Elíseos; los demás fueron condenados a sufrir por toda la eternidad. Otro condenado era Tántalo, el cual había matado a su joven hijo Pélope y había servido su carne a los dioses para ver si lograban distinguirla de la de un animal. Los dioses descubrieron lo que había hecho: devolvieron la vida al muchacho y arrojaron a Tántalo al Hades. En castigo fue suspendido de un árbol cargado de frutas sobre un lago y condenado al hambre y a la sed eternamente, pues, cuando intentaba alcanzar la fruta, las ramas se elevaban y, cuando se inclinaba para beber, el agua se retiraba.

Otro condenado era el gigante Titio, o Ticio, que había intentado forzar a Leto, la madre de Apolo y Ártemis, mientras oraba en el templo de Delfos. La salvaron sus hijos traspasando al gigante con flechas. En el Tártaro, Ticio fue atado al suelo con las piernas y las manos abiertas, mientras dos buitres le desgarraban el hígado con sus corvos picos.

En el Tártaro estaba también Sísifo, otrora rey de Corinto, que había osado encadenar a la Muerte cuando vino para llevárselo. Durante cierto tiempo no murió nadie, y el reino de ultratumba no volvió a su estado normal hasta que Ares no fue a liberar a la Muerte. Por este y otros crímenes, Sísifo fue condenado a empujar una gruesa piedra hasta la cumbre de una colina: alcanzada la cima, la roca volvía a caer inexorablemente al valle y él tenía que comen-

zar de nuevo. Cerca de él estaba Ixíon, atado a una rueda de fuego que giraba sin cesar, por haber intentado seducir a la mujer de Zeus. Zeus, para engañar a Ixíon, formó una nube a semejanza de su mujer Hera. La cosa funcionó tan bien, que a su debido tiempo la nube dio a luz a los centauros, extrañas criaturas mitad hombres y mitad caballos. El pecado de Ixíon era de tal envergadura, que no podía ser perdonado por ningún dios, y fue condenado al Tártaro.

En la *Odisea* (XI, 576-600) evocó así Homero él castigo de estos famosos condenados:

«Y vi a Ticio después, el nacido de Gea, la gloriosa; / nueve pletros su cuerpo ocupaba, tendido en un llano, / sin poder defenderse; dos buitres de un lado y de otro / le roían el hígado allí penetrando en sus carnes / por su ultraje a Latona, la augusta consorte de Zeus, / cuando el valle cruzaba de Pánopes yendo hacia Pito. / Luego a Tántalo vi con sus arduos tormentos. Estaba / hasta el mismo mentón sumergido en las aguas de un lago / y penaba de sed, pero en vano saciarla quería: / cada vez que a beber se agachaba con ansia ardorosa, / absorbida escapábase el agua y en torno a sus piernas / descubríase la tierra negruzca que un dios desecaba. / Corpulentos frutales sus ramas tendíanle a la frente / con espléndidos frutos, perales, granados, manzanos, / bien cuajados olivos, higueras con higos sabrosos; / mas apenas el viejo alargaba sus manos a ellos / cuando un viento veloz los alzaba a las nubes sombrías. / Advertí luego a Sísifo, presa de recias torturas. / Iba a fuerza de brazos moviendo un peñón monstruoso / y, apoyándose en manos y pies, empujaba su carga / hasta el pico de un monte; mas luego, llegado ya a punto / de dejarla en la cumbre, la echaba hacia atrás su gran peso; / dando vueltas la impúdica piedra, llegaba hasta el llano / y él tornaba a empujarla con todas sus fuerzas. Caía / el sudor de sus miembros y el polvo envolvía su cabeza...»

Había otros, muchos otros, cada uno con su historia. Allí estaban las cincuenta hijas de Dánao, conocidas con el nombre de Danaides. Descendían de Ío y habían venido de Egipto con su padre cuando fue elegido rey de Argos. Los cincuenta hijos de Egipto, hermano de Dánao, las habían seguido con intención de casarse con ellas. Dánao, obligado por su hermano, aceptó, pero hizo jurar a sus hijas que apuñalarían a sus esposos hasta matarlos la misma noche de la boda. Todas, excepto una, cumplieron la promesa, y por ello fueron condenadas a llenar de agua una tinaja agujereada por toda la eternidad.

Estos eran los tres senderos que el hombre podía seguir. Hades no tomaba parte en las decisiones de los jueces, a menos que surgiera una seria discusión, en cuyo caso siempre tenía la última palabra. También Perséfone intervenía raras veces, y sólo cuando había empate entre las partes.

Entre los dioses menos conocidos estaba Hécate, una hija de Zeus que había sido diosa de la Luna. En el Hades gozaba de gran autoridad, porque era conocida como la reina invencible y presidía las ceremonias de expiación y purificación de las sombras a quienes se les permitía reparar las malas acciones de su vida pasada.

También vivían en el Hades las tres Furias: Tisífone, Alecto y Meguera. Eran monstruosas a la vista, pues tenían cuerpo de perro, alas de murciélago y serpientes horribles por cabellos. Su tarea consistía en castigar a los mortales que cometían cualquier delito, y particularmente a los que no cumplían los juramentos divinos o conspiraban contra sus padres. Los culpables no podían sustraerse a sus latigazos: por mar y tierra eran perseguidos por sus Ceres, los mastines del Hades, terribles monstruos alados con dientes largos y puntiagudos, que caían sobre sus víctimas y las mataban entre sus crueles mandíbulas. Luego alzaban el vuelo como aves rapaces y llevaban a sus víctimas a la tierra de las sombras.

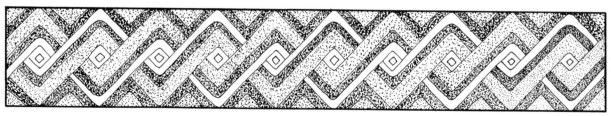

Perséfone entre los muertos

Deméter era hija de Crono y de Rea, y hermana de Zeus. Para los griegos era la diosa de las mieses, del trigo y de todas las plantas vivientes. Todos los años hacía madurar el trigo dorado, y al final del verano iban a darle gracias por la abundancia de la tierra. Vivía con su única hija, Perséfone, en la isla de Sicilia. Perséfone se había convertido en una de las jóvenes más hermosas de la región; aunque hija de una gran diosa, vivía una vida tranquila, lejos de los litigios y de las rivalidades del Olimpo. De pronto, un día, su vida feliz sufrió un cambio violento.

Perséfone había salido sola y no volvió. Ya había caído la noche, y la muchacha no daba señales de vida, ni una noticia, ni un mensaje. Deméter esperó y esperó, hasta que al fin llamó a sus siervos.

—Buscad por los campos, por las colinas, por los valles. Si Perséfone no ha vuelto, tiene que haberle ocurrido algo terrible. Buscad atentamente y seréis recompensados.

Durante días y días los criados buscaron a la joven, pero volvieron sin traer ninguna noticia a la abatida Deméter. Fueron alargando cada vez más el radio de sus pesquisas. La misma Deméter se unió a ellos; para no interrumpir el trabajo ni siquiera durante la noche, encendieron las antorchas en las llamas del volcán Etna. Pero no había rastro de Perséfone.

Luego Deméter atravesó el mar para buscar en otras tierras. Presa de su dolor, olvidó a los mortales a quienes debía servir: las cosechas de trigo se interrumpieron, las plantas y los árboles se murieron y la tierra se quedó estéril.

En el curso de sus peregrinaciones Deméter llegó a Eleusis, una pequeña ciudad a unos 16 kilómetros al nordeste de Atenas. Para no ser reconocida se disfrazó de vieja y, como todos los extranjeros, fue recibida por el rey Céleo y su esposa, Metanira; por ellos se enteró de que estaban buscando una nodriza para su último hijo, Demofoonte.

—Tengo que descansar un poco, porque estoy muy fatigada —dijo—. ¿Queréis que me ocupe del niño?

Adujo esta razón, pero la verdad era que estaba perdiendo la esperanza de encontrar a su hija y pensaba que cuidar a un niño la ayudaría a soportar su dolor.

Céleo y Metanira aceptaron contentos el ofrecimiento, y durante un breve período hasta Deméter pareció satisfecha. Pero era una actitud externa. La pérdida de su hija y los largos años de búsqueda habían agriado su carácter.

El hijo mayor de Céleo solía burlarse de ella. Un día, impelida por la ira, olvidó su papel de nodriza entre los mortales e, invocando sus poderes mágicos, transformó al niño en lagartija. Luego observó cómo se escondía rápidamente en una hendidura de las paredes de la estancia. Su ira se apagó rápidamente y se asustó de lo que había hecho. Para reparar su culpa y pagar a la familia real la amabilidad que le habían demostrado, pensó entonces Deméter en convertir al pequeño en inmortal. Lo tomó de la cuna y lo mantuvo en vilo sobre el fuego para destruir su carne mortal.

En aquel momento entró la reina en la estancia y vio lo que Deméter estaba haciendo. Lanzó un grito de horror y corrió a arrancarle al pequeño de las manos, pero, sin darse cuenta, rompió el encantamiento antes de estar realizado y Demofoonte murió entre sus brazos.

Deméter comprendió que debía revelar su verdadera identidad, porque nadie habría creído a una vieja nodriza. Se quitó el mantón negro y se presentó a la reina como una diosa. Desde entonces, de un modo bastante extraño, comenzó a haber algunos momentos de felici-

dad. Otro hijo de Metanira tenía noticias de Perséfone y, cuando supo quién era la nodriza, corrió a referírselas.

El día en que había desaparecido, Perséfone estaba cogiendo flores en un prado. Un pastorcillo que estaba cuidando su rebaño allí cerca la había observado mientras iba despacio de flor en flor. De repente, un hombre alto, que venía conduciendo un carro dorado tirado por dos caballos, la había agarrado y había desaparecido con ella rápidamente en una sima que se había abierto en la falda de la montaña. El pastorcillo no había visto su rostro, pero Deméter imaginó en seguida quién podía ser: su hermano Hades, el señor de ultratumba.

Deméter se sintió feliz con la noticia de que su hija estaba viva aún, pero se irritó por el engaño padecido. Si Hades tenía a Perséfone en su reino, probablemente lo hacía con el consentimiento de Zeus. Dejó entonces la ciudad de Eleusis y prosiguió su vagabundeo. Durante todo este tiempo la tierra siguió sin dar frutos, porque Deméter se negaba a devolverle la abundancia de otros tiempos.

Parecía que todo el género humano estaba condenado a perecer por falta de alimento, y hasta los dioses se veían privados de los sacrificios y dones que solían recibir. Al fin intervino Zeus. Mandó a su hijo Hermes a Hades con un mensaje en el que pedía la libertad de Perséfone. No había más que una condición: la muchacha sólo podría dejar el mundo subterráneo si no había tocado ningún alimento en todo aquel período, porque el que probaba la comida de los muertos debía fidelidad al rey Hades. Hermes encontró a Perséfone, pálida y triste, sentada junto a Hades con un manojo de flores marchitas en la mano.

—No he comido nada desde que me llevaron de mi casa —dijo Perséfone—. Todos los días me traen comida y me tientan con la fruta más hermosa que nunca había visto. Pero yo sé en qué consiste la comida de los muertos que me ofrecen: tiene el sabor amargo de la ceniza. ¡Oh, Hermes, llévame otra vez a la luz del sol!

Hermes tomó a Perséfone y la llevó a la entrada del reino de ultratumba. Se cruzó con Cerbero, que saludó a la muchacha lamiéndole una mano; atravesó las aguas cenagosas de la Estige, y subió hasta los campos baldíos de Sicilia, donde Deméter estaba esperando a su hija. Apenas Perséfone bajó del carro de Hermes, pareció como si el mundo renaciera. El punzante invierno se alejó, dejando paso a la primavera. Felices, Deméter y Perséfone volvieron a su casa.

Pero su felicidad iba a ser breve. En ultratumba Hades interrogó a todas las sombras y espíritus, hasta que dio con lo que quería saber: Ascálafo había visto a Perséfone coger una granada del árbol del jardín de Hades, y la había observado mientras comía siete granos. Hades estaba satisfecho, e inmediatamente reclamó la vuelta de Perséfone en calidad de esposa. Ésta era también la condición de Zeus, pero Deméter no quería entrar en razón.

—Hasta que mi hija no vuelva a mí, la tierra permanecerá estéril como el más árido desierto —declaró.

Los dioses comenzaron a discutir y al fin llegaron a un acuerdo: Perséfone pasaría nueve meses del año con su madre y los otros tres en el Hades.

Pero la diosa no se rindió del todo. En efecto, cuando Perséfone estaba lejos, los árboles perdían sus hojas, la tierra se quedaba fría y despojada. Hasta los pájaros se callaban. Pero a su vuelta los pájaros la agasajaban con sus cánticos, brotaban las hojas y se abrían las flores: el invierno había terminado.

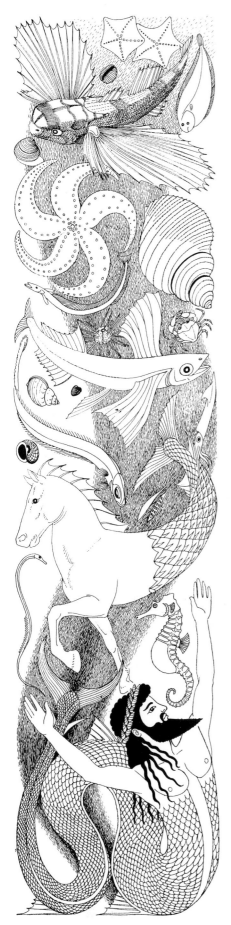

El reino marino de Posidón

Ser señor de los mares y de todo lo que en ellos vive habría hecho feliz al más ambicioso de los dioses, porque en esas profundidades misteriosas hay algo de mágico y maravilloso que no puede encontrarse en otra parte. Como dios del mar, Posidón no sólo podía gozar de ese extraño mundo, sino que también podía refrenar a su antojo el poder de las tempestades, levantar olas enormes que se estrellaban contra las costas rocosas de Grecia, poner en aprietos a los barcos de pesca y obligar incluso a las más grandes embarcaciones a refugiarse en los puertos más seguros.

Cuando Zeus, Hades y Posidón destronaron a su padre, Crono, se dividieron entre ellos la tierra, el mar y el cielo. A Posidón le tocó en suerte el reino de los océanos. No era el único dios del mar; otros habían reinado antes que él, y demostraron su índole buena y generosa aceptando felices su dominio. Océano, hijo de Urano, fue el creador de las aguas. Tomaron la forma de un vasto río sin fin que circundaba la tierra, y sus hijos fueron los océanos, los mares, los lagos, los ríos y hasta los riachuelos. El dios del sol, Helio, se servía del Océano para volver a oriente, después de haber atravesado el cielo con su carro.

Otro dios del mar era Nereo, un viejo poderoso que ayudaba a los marineros en peligro. Es conocido sobre todo como el padre de las cincuenta nereidas, bellísimas ninfas marinas que encontramos en multitud de leyendas.

Al principio Posidón estaba satisfecho con su reino. A unos días de viaje de Atenas en dirección este, sobre la costa de Eubea, construyó un magnífico palacio en el fondo del mar Egeo. Estaba adornado con torres blancas y grandes puertas en forma de arco, incrustadas de corales y conchas, y en las paredes del salón del trono había las más hermosas representaciones de monstruos marinos. En las caballerizas tenía su carro dorado y los caballos blancos con crines y cascos de oro. En ese carro viajaba, blandiendo el mismo tridente con el que una vez había amenazado a Crono y por el que es conocido.

Posidón hubiera querido casarse con la nereida Tetis, pero la abandonó cuando se enteró de una profecía, según la cual el hijo primogénito de la diosa llegaría a ser más importante que su padre. Tal idea no podía ser aceptada por un dios tan orgulloso como Posidón. En su lugar se casó con Anfitrite, otra hija de Nereo.

Anfitrite dio a luz tres hijos varones, pero a pesar de ello la pareja no fue feliz. Posidón le era infiel y trataba a su mujer de un

modo rudo y grosero. Se había apoderado de él una incesante ambición de ensanchar sus dominios, y eso lo tenía alejado de casa durante meses y meses.

No pasó mucho tiempo sin que Posidón se sintiera insatisfecho de su reino y de su poder sobre las olas. Hubiera querido gobernar también la tierra, y pronto volvió sus codiciosos ojos hacia el Ática, que incluía la ciudad misma de Atenas. Para poder acampar directamente en la ciudad, perforó con su tridente el suelo rocoso de la Acrópolis e hizo brotar una fuente de agua de mar.

En aquel tiempo toda el Ática estaba bajo la protección de la diosa Atenea, una hija de Zeus y sobrina, por tanto, del mismo Posidón. La diosa no podía permitir tal invasión de su territorio, y para reivindicar sus derechos de modo pacífico plantó un olivo junto a la fuente. El árbol agarró inmediatamente, pero el señor de los mares se rió de Atenea.

—Sólo cederé si me vences en combate —dijo.

Naturalmente sabía que era mucho más fuerte que Atenea y que la diosa habría tenido muy pocas posibilidades de vencerlo. También Atenea lo sabía, pero aceptó igualmente. Sin embargo, el siempre vigilante Zeus no podía permitir que tal combate se llevase a cabo y llevó a los dos inmortales a discutir su caso ante un tribunal de los dioses. Dioses y diosas se reunieron en número igual. Los primeros tomaron partido por Posidón; las segundas, por Atenea. Zeus, en calidad de juez, debía abstenerse de participar en la discusión y no podía votar: de ese modo las diosas vencieron por un voto y a Atenea se le volvió a confiar el cuidado de Atenas.

Lleno de ira por haber sido contrariado en sus propósitos, Posidón inundó la tierra de Atenea, destruyendo su templo y las casas, las alquerías y los pueblos de su gente. Desde entonces Atenea se estableció para siempre en Atenas, tomándola bajo su especial protección.

Pero todo esto no frenó la ambición de Posidón, que intentó sin éxito quitar a Zeus la isla de Egina, y a Dioniso, hijo de Zeus, la isla de Naxos. Finalmente atentó incluso contra un territorio que pertenecía a Hera, pero esa vez Zeus se opuso decididamente:

—Está visto que los dioses se han confabulado contra mí —dijo Posidón cuando su hermano le comunicó que iban a reunirse para juzgar sus pretensiones.

—Los dioses de los ríos son justos —respondió Zeus—. ¿Te someterás a su decisión?

Posidón se encogió de hombros y decidió probar suerte. Esperaba que los dioses de los ríos no se opondrían al que mandaba en las aguas y era mucho más poderoso que ellos. Pero los tres dioses no tuvieron miedo y se decantaron en favor de Hera.

Esta vez, en vez de inundar la tierra, Posidón secó los ríos, reduciéndolos a senderos arenosos y pedregosos. El agua volvió a correr con las lluvias de invierno, pero desde entonces los ríos se secan al llegar el verano.

Todos los animales del océano debían obediencia a Posidón. Había además otras criaturas menos familiares, como los tritones. Su nombre se derivaba de Tritón, hijo de Posidón, y eran mitad hombre y mitad pez, tenían aletas y el cuerpo cubierto de escamas.

Proteo, hijo del Océano, era el guardián de los rebaños de focas de Posidón. Tenía el don de la profecía, e iban a consultarlo todos los que querían saber el futuro. Pero antes de emitir sus dichos había que apoderarse de él y sujetarlo, cosa nada fácil, porque Proteo adoptaba las formas más diversas y caprichosas: un dragón, un león o cualquier otro animal feroz. Sólo cuando los visitantes no tenían miedo, Proteo se convertía en sí mismo y escrutaba para ellos el porvenir.

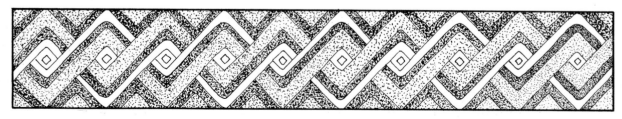

Prometeo y Pandora

Según los primeros griegos, los creadores del hombre fueron Zeus y Prometeo. Prometeo era un Titán, uno lo de los viejos dioses que había ayudado a Zeus en su lucha contra Crono. Fue Prometeo el que modeló a los primeros hombres de barro, concediéndoles la posición erecta para que mirasen a los dioses. Zeus les dio el soplo de la vida.

Los primeros hombres eran aún seres primitivos que vivían de lo que podían matar con sus arcos de madera, sus hachas de cuerno y sus cuchillos, y de las escasas cosechas que lograban hacer crecer. No conocían el fuego, así que comían la carne cruda y se envolvían en gruesas pieles para abrigarse del frío. Eran incapaces de hacer vasijas o escudillas y no sabían trabajar los metales para procurarse herramientas útiles y armas.

Zeus estaba contento de que vivieran en aquel estado, porque temía que alguno pudiera crecer lo suficiente como para rivalizar con él. Pero Prometeo había aprendido a amar al género humano y sabía que con su ayuda los hombres podían progresar. Él y Zeus habían creado a la raza humana, no unos animales cualquiera.

—Tendríamos que enseñarles el secreto del fuego —dijo a Zeus—, si no, serán siempre como niños inermes. Tendríamos que terminar lo que hemos empezado.

—Son felices con lo que tienen —respondió Zeus—. ¿Para qué preocuparnos?

Prometeo comprendió que no conseguiría convencer a Zeus y entonces subió secretamente al Olimpo —donde ardía el fuego día y noche— y encendió una tea. Con ella prendió un pedazo de carbón vegetal hasta convertirlo en un tizón, lo escondió entre los tallos de una planta de hinojo y se lo llevó a los hombres.

Aquel primer tizón proporcionaría el fuego a los hombres y Prometeo les enseñó a utilizarlo. También los ayudó de otros modos. Por ejemplo, cuando se hacían sacrificios, la parte mejor de la carne del animal sacrificado iba siempre destinada a los dioses, y la peor, a los hombres. Valiéndose de un engaño, Prometeo aseguró a los hombres una parte más adecuada. Dividió la carne de un buey en dos montones: uno, el más aparatoso, no contenía más que huesos mondos cubiertos de grasa; el otro, la carne mejor. Zeus escogió el primero, y al verse engañado de ese modo se encerró en un irritado silencio.

Con ayuda de Prometeo el hombre hizo rápidos progresos. Aprendió a modelar vasijas y escudillas, a construir casas con blo-

ques de arcilla cocida y con el tejado de ladrillos en vez de trenzado de cañas. Aprendió a trabajar el metal para defenderse y cazar. Pero una noche en que Zeus estaba mirando desde el cielo, vio un fuego que ardía en la tierra y comprendió que había sido engañado. Mandó llamar a Prometeo.

—¿No te prohibí que dieras a conocer al hombre el secreto del fuego? —preguntó—. Dicen que eres sabio, pero ¿no comprendes que con tu ayuda algún día el hombre desafiará a los dioses?

—No tiene por qué suceder, si lo amamos y le damos buenas enseñanzas —respondió Prometeo.

Pero Zeus se enfureció sobremanera y no quiso oír más explicaciones. Ordenó que Prometeo fuese llevado a las montañas del este y encadenado a una roca. Un águila feroz se alimentaba todos los días con su hígado, y el hígado volvía a crecerle durante la noche para que la tortura pudiera empezar otra vez. Pasaron muchos años antes de que Prometeo fuera liberado: hay quien dice que treinta mil, y no está claro cómo sucedió. Según una leyenda fue a liberarlo el poderoso Hércules. De todos modos Zeus no había quedado satisfecho con su venganza e hizo sufrir todavía al género humano.

Por voluntad suya su hijo Hefesto modeló una muchacha con una mezcla de arcilla y agua. Atenea le infundió el soplo de la vida y la instruyó en las artes femeninas de la costura y la cocina; Hermes, el dios alado, le enseñó la astucia y el engaño, y Afrodita le mostró cómo conseguir que todos los hombres la desearan. Otras diosas la vistieron de plata y le ciñeron la cabeza con una guirnalda de flores; luego la llevaron a presencia de Zeus.

—Toma este cofrecito —le dijo, entregándole una cajita de cobre bruñido—. Es tuyo, llévalo siempre contigo, pero no lo abras por nada del mundo. No me preguntes la razón y sé feliz, ya que los dioses te han dado lo que todas la mujeres desean.

Pandora, que así se llamaba la muchacha, sonrió. Pensaba que el cofrecito estaría lleno de joyas y piedras preciosas.

—Ahora tenemos que encontrarte un marido que te ame, y yo conozco al hombre adecuado: Epimeteo. Él te hará feliz.

Epimeteo era hermano de Prometeo, pero le faltaba toda la prudencia de su hermano. Prometeo le había advertido que no aceptara ningún regalo de Zeus, pero él, un poco halagado y quizá temeroso de rechazarle, aceptó a Pandora como esposa. Hermes acompañó a la muchacha hasta la casa del flamante marido en el mundo de los hombres.

—Bueno, amigo Epimeteo —le dijo—. No olvides que Pandora tiene un estuche que no debe abrir por ningún concepto.

Epimeteo tomó el estuche y lo colocó en sitio seguro. Al principio, Pandora fue feliz viviendo con él y olvidó el estuche; más tarde empezó a reconcomerla el gusanillo de la curiosidad.

—¿Por qué no podemos ver al menos lo que contiene? —dijo un día a su marido.

Luego, mientras Epimeteo dormía, abrió el cofrecito y, rápidos como el viento, salieron todos los males que desde entonces nos afligen: el cansancio, la pobreza, la vejez, la enfermedad, los celos, el vicio, las pasiones, la suspicacia... Desesperada, Pandora intentó cerrar el cofrecito, pero era demasiado tarde. Su contenido se había desparramado por todas partes. La venganza de Zeus se había realizado: la raza humana no podía ser noble como había querido Prometeo. La vida sería una lucha constante contra dificultades de todo género. Había pocas probabilidades de que el hombre pudiera aspirar al trono de Zeus.

Pero el triunfo del rey de los dioses no era completo. Una cosita de nada había quedado en el fondo del estuche y Pandora consiguió encerrarla. Era la esperanza. Con ella el género humano había encontrado la manera de sobrevivir en este mundo hostil. La esperanza les daba una razón para seguir viviendo.

Afrodita, la diosa del amor

En la corte de Zeus había mucha excitación: Hera iba a dar a luz otro hijo. Zeus había predicho que sería varón y había elegido para él el nombre de Hefesto. Los médicos merodeaban con aires de importancia y los dioses hablaban en voz baja para no molestar.

El parto fue largo y difícil, y cuando el niño nació era feo y deforme. Los que la asistieron intentaron no dejárselo ver, porque sabían que Hera deseaba alumbrar un dios que aventajase a todos los demás en fuerza y hermosura. Naturalmente no dejaba de pedir que se lo enseñaran, y cuando se dio cuenta de que era deforme y débil se puso furiosa.

—Éste no es mi hijo —gritó y, agarrando a Hefesto de una pierna, lo arrojó desde el Olimpo.

Y bajando, bajando hacia la tierra, atravesó las nubes, evitó los arrecifes rocosos y cayó en un brazo de mar que se extendía tierra adentro. Dos nereidas, Tetis y Eurínome, estaban esperando para cogerlo en sus brazos. Movidas de piedad por su deformidad, lo cuidaron como si fuera hijo suyo, y Hefesto creció feliz en el mundo de las aguas.

Pasaron los años y se convirtió en un joven de talento. Aunque tenía las piernas débiles y torcidas, sus brazos eran robustos, y Hefesto se hizo muy hábil en la elaboración del hierro y otros metales.

A Tetis y Eurínome les gustaba ponerse los brazaletes y collares que Hefesto les hacía, y se sentían recompensadas por los sacrificios que habían hecho para criar a aquel dios contrahecho y patizambo caído del cielo. También Hefesto se sentía contento de su trabajo, y parecía que su existencia seguiría del modo más tranquilo.

Un día Tetis se puso sus mejores vestidos y se colocó al cuello un dije, regalo de Hefesto. En medio del dije había una gruesa perla que brillaba como la luna, rodeada de perlas más pequeñas de color azul, recogidas en el fondo del mar y montadas con una decoración de plata. Tetis había sido invitada a una fiesta de los dioses y sabía que le envidiarían la joya.

No se equivocaba. En seguida Hera la llevó aparte para saber quién le había hecho un dije tan bonito. Tetis sabía cómo había tratado Hera al pequeño y también que Hefesto no quería saber nada de su madre, pero en aquel momento la había pillado desprevenida.

—No..., no recuerdo su nombre —balbuceó—. Si tienes paciencia quizá me venga a la memoria.

—¡Qué bobadas! —exclamó Hera, que había visto la vacilación de Tetis y su rubor—. Por lo menos sabrás dónde vive y trabaja, aunque no recuerdes su nombre, cosa que dudo mucho.

La pobre Tetis no podía competir con Hera y se vio obligada a confesar que el habilísimo artífice era el hijo que ella tanto había despreciado.

—Tráemelo aquí inmediatamente —ordenó.

—Lo intentaré —dijo Tetis titubeante—, pero ahora es un hombre y tiene sus propias ideas.

Como Tetis había supuesto, Hefesto no quiso ir. No había olvidado ni perdonado el comportamiento de su madre. Pero se puso a trabajar para regalarle un trono de oro bellísimo. Hera lo aceptó en señal de paz, convencida de que pronto vendría a verla.

Se sentó orgullosa en el trono, admirando la maestría del trabajo. Pero apenas quiso levantarse, se dio cuenta de que a pesar de todos sus esfuerzos y contorsiones no lo conseguía. La reina del Olimpo, la esposa de Zeus, estaba aprisionada y, roja de rabia, mandó llamar a su marido; pero tampoco Zeus pudo hacer nada.

—¡Que venga Hefesto! —ordenó desesperada—. No quiero ser humillada de este modo por mi hijo.

Zeus empezó enviando unos mensajeros y acabó por enviar a los mismos dioses para suplicar a Hefesto. Pero el que consiguió convencerlo de que dejase las profundidades marinas para subir al Olimpo fue su hermano Dioniso, que lo tumbó con un vino excelente.

Una vez que llegó arriba, Hefesto decidió que Hera había sufrido bastante y la liberó. A cambio, su madre le hizo construir un taller y una fragua. Se decía que había en ella más de veinte fuelles y veinte yunques. También le proporcionaron todos los ayudantes que necesitaba. Ahora tenía todo lo que quería: sólo le faltaba una mujer. Como gesto final de reconciliación, Hera le prometió la mano de Afrodita, la diosa incomparable del amor.

Las voces empezaron ya antes de que se celebrase el matrimonio. A Hefesto le halagaba la idea de casarse con Afrodita, porque sabía que sin ayuda de su madre jamás conseguiría conquistar a la diosa más bella. Agradecido, apoyó a Hera en una de las frecuentes trapatiestas con su marido, y Zeus lo arrojó otra vez Olimpo abajo. Esta vez no había ninfas que amortiguaran su caída, ni agua del mar que lo acogiese en sus profundidades. Cayó sobre la pendiente rocosa de una colina en la isla de Lem-

nos y se rompió las piernas, ya de por sí poco firmes, por varios sitios. Para ponerse en condiciones de ir a buscar a su futura esposa, tuvo que apuntalarse las piernas, y se construyó dos estatuas de oro dotadas de movimiento. Zeus, viéndolo tan malparado, lo perdonó.

Para los antiguos griegos, Afrodita era el símbolo de todo lo bello y deseable, la diosa del amor mismo. La extraña historia de su origen se remonta al período de los Titanes, cuando Crono mató a su padre, Urano, con una hoz y arrojó su cuerpo al mar. Las olas se levantaron espumosas y de en medio de ellas surgió una ninfa, Afrodita, que con su belleza llegó a oscurecer al sol.

Posidón, el dios del mar, la acompañó con su carro de oro a la isla de Citera, en el mar Jónico. Esperaba guardarla para sí, pero Zeus se enteró de su extraño nacimiento y mandó que la llevaran al Olimpo.

Afrodita fue acogida en la sala del consejo y no se sintió en absoluto intimidada por las miradas de admiración de los dioses, que se habían reunido para darle la bienvenida. La admiración que despertaba en los dioses y en los hombres parecía aumentar su atractivo. Aun cuando su misma belleza era suficiente para fascinar a quien la veía, Afrodita llevaba a la cintura un ceñidor mágico que tenía el poder de enamorar a todos los hombres. Naturalmente, todos los dioses habían sufrido el encanto de sus atractivos y uno tras otro habían hecho demostración de sus habilidades particulares con idea de impresionarla favorablemente. Posidón pensaba que tenía más derecho que todos los demás por haber sido él quien la había encontrado.

—Has venido del mar y el mar es mi reino, así que tú eres mía. Todo lo que hay bajo las olas será tuyo. Vivirás en una gruta iluminada de perlas.

Y para demostrar su poder alzó el tridente y desencadenó en el mar una furiosa tempestad.

Hermes prometió a Afrodita que le haría dar la vuelta al mundo en su carro de oro.

—Conmigo verías el corazón ardiente de los desiertos, los animales salvajes de la selva, la belleza glacial de las tierras del norte, las gentes de piel oscura como el ébano —prometió.

También Apolo intentó convencerla cantándole una dulcísima canción de amor. Pero Afrodita no se pronunció. Sabía que con su ceñidor mágico podría conquistarlos a todos como

y cuando quisiera. No tenía necesidad de decidirse ahora, y con un poco de paciencia podría encontrar algún dios aún más bello y más poderoso.

Pero no pudo esperar, porque Hera había decidido que tenía que ser mujer de Hefesto.

—Venga, vamos —ordenó, mientras los demás dioses formaban en fila ante Hefesto, que avanzaba renqueando—. Pues es tu voluntad y la mía, toma a Afrodita por mujer.

Todos volvieron sus ojos hacia Afrodita para escrutar su expresión cuando viera por primera vez al lisiado que iba a ser su marido. Era un dios, pero un dios con los brazos parecidos a los de un gorila, unas piernas que sin puntales no lo habrían sostenido y una cabezota como un gigante. Todos pensaban que retrocedería horrorizada: ¿qué podía ofrecerle Hefesto en comparación con los otros dioses? El calor y el polvo de la fragua en lugar de la limpieza de las aguas del reino de Posidón; el ruido de los martillos en lugar de las cuerdas de la lira de Apolo.

Pero Afrodita sonrió y fue a abrazar a Hefesto. Comprendió al instante que era el tipo de Dios que no intentaría mandar en ella: una vez casada, seguiría haciendo lo que quisiera. Sin imaginar lo que ella pensaba verdaderamente, Hera y los otros se convencieron de que, después de todo, la elección había sido acertada. Posidón, Hermes y Apolo se quedaron perplejos, pero volvieron a sus ocupaciones sin discutir. Todo parecía felizmente arreglado.

Naturalmente, el matrimonio no fue fácil. Pronto se vio que Afrodita prefería la compañía de los otros a la de su marido, y empezó a

rumorearse que pasaba mucho tiempo con Ares. Hefesto decidió averiguar si eran ciertos los rumores.

Con un hilo de bronce muy sutil, cuidadosamente trabajado y retorcido, hizo una red casi invisible, pero muy resistente. Luego dijo a su mujer que tenía que ausentarse durante unos días. Entró sin ser visto en casa de Ares, el dios de la guerra, y escondió la red encima de la cama del dios, entre los pliegues de los cortinajes.

Aquella noche Afrodita, sin preocuparse de que la vieran, fue a casa de Ares. El plan de Hefesto empezaba a funcionar. Escondido en la habitación donde estaba la cama, esperó que los dos se acostaran, y en aquel momento dejó caer la red. Ares y Afrodita lucharon con intención de romper los hilos y liberarse, pero fue inútil.

Atrapados como dos pajarillos, fueron descubiertos en seguida. Las diosas, siempre celosas de Afrodita, se sintieron heridas por su comportamiento.

—Es el justo castigo para una mujer tan descocada —dijo una—. ¿Qué otra cosa podía hacer Hefesto?

—En cuanto la vi —dijo otra—, supuse que tendría que ocurrir una cosa así. No puede uno fiarse de mujeres como ésa.

Al fin Hefesto se decidió a liberarlos, pero no sin que Ares lo resarciera antes espléndidamente: monedas de oro, espadas y escudos preciosos, el botín de cien batallas fue amontonado en su casa de la colina.

Para Ares fue un duro golpe el verse cubierto de ridículo. Aunque se movía con aire jactancioso y altanero, como si no hubiera pasado nada, sabía que no podría ofender más a Hefesto. Pero Afrodita no se preocupó gran cosa. Después de todo era la diosa del amor y no estaba en su naturaleza comportarse con cautela. La tentación de usar el ceñidor mágico para doblegar a los hombres a su voluntad era excesivamente fuerte, y muchas veces Hefesto se arrepintió de haberse casado con ella.

El adulterio de Ares y Afrodita (Marte y Venus) fue cantado por Ovidio en el libro IV de las *Metamorfosis,* esta vez con su pequeña dosis de humor e ironía:

«Sabed que el Sol, ese dios que lo alumbra y gobierna todo con su luz, no estuvo exento del amor. Voy a referiros su aventura. Como todo lo registra el primero, dicen que descubrió el adulterio de Venus con Marte, y envidioso o celoso del hecho, se lo contó al esposo de esta diosa, mostrándole el paraje y el lugar de la traición. Consternó tanto esta noticia a Vulcano (Hefesto), que quedó sin seso, se le cayó de las manos la obra que estaba forjando y hasta el martillo con que la trabajaba. Mas, volviendo sobre sí, se puso a hacer una red y lazos de alambre tan sutiles y delgados que apenas eran perceptibles; no excederían a su delicadeza ni el hilo más delgado ni las más delicadas telas de araña que penden del techo. Hízola con tal artificio, que el más leve roce pudiera ponerla en funcionamiento. Tendióla alrededor del lecho de Venus, de suerte que, apenas entró en él con Marte, ambos se quedaron presos y abrazados. Contento Vulcano con tan buen suceso, abrió las puertas de su aposento e invitó a los dioses a ver el espectáculo; halláronlos torpemente abrazados, cosa que excitó a los dioses a risa, aunque no faltó entre ellos alguno menos rígido que quisiera verse avergonzado a tal precio. El hecho fue contado y sirvió mucho tiempo de conversación en el cielo.»

Pasaron los años, pero Afrodita no cambió. Estaba presente en todas las fiestas, y en las bodas era siempre el invitado de honor. Fue también a la boda de Peleo, rey de Ftía, con Tetis, una de las dos nereidas que se ocupó de Hefesto cuando era pequeño.

En medio de la fiesta uno de los invitados, Eris, personificada generalmente como diosa de la discordia, lanzó una manzana de oro en medio de la sala. En la manzana había escritas estas palabras: «Para la más hermosa». Tres diosas, Hera, Atenea y Afrodita, pretendían para sí la manzana y el honor de la suprema belleza. Ningún dios quiso cargar con la responsabilidad de decidir, y al fin resolvieron que el juez sería Paris, el joven hijo del rey de Troya.

Paris era hermoso, joven, seguro de sí mismo, y no tenía miedo de las tres diosas. Se puso en medio de ellas y comenzó a observarlas y a considerar sus reivindicaciones: Hera era la reina del cielo, Atenea era bella y sabia, Afrodita, sonriente y alegre, lo miraba con ojos de desafío, como si su elección fuera la cosa más obvia del mundo. Paris sonrió también y le ofreció la manzana de oro, ganándose así su protección y el odio implacable de las otras dos.

Esta acción tuvo consecuencias tan graves como ni siquiera la sabia Atenea hubiera podido entonces imaginar. Poco tiempo después Paris fue a Esparta, y Menelao lo acogió hospitalariamente en su palacio real. Allí se enamoró de la bellísima reina Helena, y con ayuda de Afrodita logró raptarla y huir con ella a su casa, donde se celebraron las bodas.

Más adelante contaremos la historia de la larga guerra que se desencadenó cuando Menelao descubrió la traición de su huésped y cómo los griegos combatieron para recobrar a Helena: es la historia de la guerra de Troya. Afrodita, diosa tentadora y hechicera, tuvo su parte de culpa en aquella larga y sangrienta empresa, pero era un aspecto típico de su vida: parecía destinada a enfrentar a los hombres entre sí.

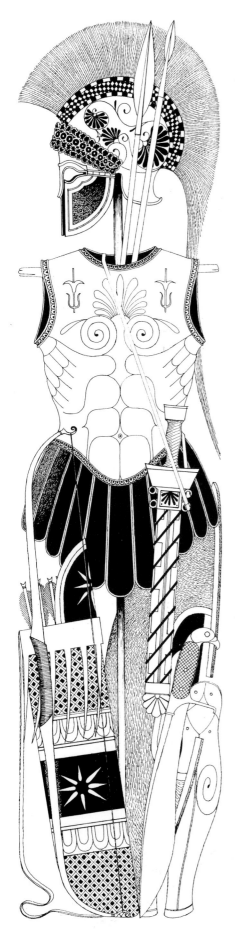

Ares, el dios de la guerra

Entre los héroes griegos, e incluso entre los dioses y los mortales, no eran raras las contiendas, pero hasta las divinidades consideraban inaceptable el comportamiento de Ares y de su séquito. Cuando estallaba una pelea, se sentían inclinados a pensar que en la base había una causa justa; pero a Ares le gustaba combatir por combatir y se lanzaba de cabeza a una batalla sin preocuparse de culpas ni razones. Por desgracia para él, no siempre salía vencedor.

Sorprende, pues, cómo podía ser el dios de la guerra, sobre todo si se tiene en cuenta que otros dioses, Atenea en particular, sabían combatir mucho mejor que él. Probablemente, su carácter impulsivo y su temperamento fogoso empujaron a los hombres a recurrir a él en sus luchas, seguros como estaban de que no se preocuparía de buscar motivos justos. Su hermana Eris era tan irascible como él, y con frecuencia sus envidias eran motivo de guerra entre ciudades o estados. Ares sacaba partido de todo ello. En el combate se le unían también sus dos hijos varones con las bigas de guerra tiradas por feroces caballos que comían carne humana.

El único dios que gozaba con el comportamiento de Ares era Hades, porque durante las frecuentes guerras su reino se enriquecía con los jóvenes guerreros caídos en los campos de batalla. Entre las diosas, Afrodita era la única que estaba en condiciones de hacer frente a su temperamento impetuoso, pero, como ya hemos visto, el gran dios no cosechó muchos honores de su amistad con ella.

Dos veces le tocó a Ares lidiar con ejércitos guiados por Atenea, que era mucho más hábil que él, y perdió en entrambas ocasiones. También combatió con Atenea durante la guerra de Troya. En aquella guerra los dioses defendieron a sus héroes preferidos y combatieron para socorrerlos en los momentos más difíciles. Atenea ayudaba a los griegos; Ares, a los troyanos. Un día en que el combate se hizo particularmente violento, Ares fue atacado por el héroe griego Diomedes. Por regla general, a un dios le era fácil vencer en un conflicto con un héroe, pero Diomedes estaba apoyado por la misma Atenea, que, protegida por una bruma inesperada, se puso a conducir la biga de Diomedes y, cuando vio que estaba extenuado, descargó contra Ares todas las flechas de su aljaba de plata. Malherido, el dios de la guerra tuvo que volver al Olimpo.

Ares se vio envuelto también en un choque entre los dioses. Una vez Oto y Efialtes, dos hijos de Posidón, organizaron una conspiración para escalar el Olimpo y apoderarse por la fuerza del palacio de los dioses, llevándose además a Hera y Ártemis.

Oto y Efialtes eran dos enormes gigantes e hicieron un plan por todo lo alto: para llegar a la cumbre del Olimpo tenían que poner los montes Pelio y Osa uno encima de otro. De ellos dice Homero que fueron «los mayores mortales que el campo nutrió con sus frutos, / los más bellos con mucho también, salvo Orión el glorioso. / Al cumplir nueve años, aquellos gemelos medían / nueve codos de anchura; su talla subía a nueve brazas. / A esa edad amagaron los dos a los dioses eternos / con llevar al Olimpo clamores y afanes de guerra...» (*Odisea*, XI, 308-314).

Tal empresa no podía pasar inadvertida, y Zeus se dio cuenta rápidamente en cuanto los vio mover la montaña cubierta de pinos. Reunió entonces sus ejércitos y se dispuso a enfrentarse con los invasores. Naturalmente, Ares tomó parte en la lucha; Zeus consiguió terminar el combate en poco tiempo, pero Ares cayó prisionero y desapareció.

Hicieron largas búsquedas pero no consiguieron encontrarlo: los dos gigantes en fuga lo había escondido en una gran caldera de bronce de la que era imposible huir. Trece meses estuvo prisionero, período interminable durante el que se quedó delgado y débil.

Ya hacía tiempo que se había suspendido la búsqueda, cuando un día Hermes, en uno de sus viajes, pasó por casualidad cerca del granero en que habían colocado la caldera. Oyó un ruido que venía de aquella dirección y se acercó a la caldera.

«Algún ratón que no puede salir», pensó, arrastrando el pesado recipiente hasta la puerta. Tamborileó en la tapa y oyó que le respondían.

—¿Quién eres? Haces mucho ruido para ser un ratón.

—Soy Ares —respondió una voz muy débil—. Sácame de aquí y te daré todo lo que puede garantizar un dios poderoso.

—¡Ares! —replicó Hermes—. ¿Pero cómo has podido caer en una situación tan humillante? En fin, no desesperes, yo te sacaré de ahí.

Al momento, Hermes levantó la pesada tapa que cubría la caldera de bronce. Estirándose y gruñendo, y no sin dificultad, salió a la luz de la luna un Ares delgado y polvoriento, con la armadura deslustrada y la barba enredándosele entre sus retorcidos miembros.

Y así fue liberado el dios de la guerra. Conociendo su naturaleza, podemos estar seguros de que estaba dispuesto a entrar en otra batalla.

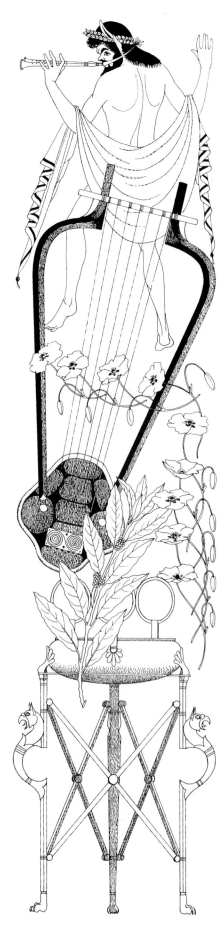

Ártemis y Apolo

Los dioses del Olimpo no concebían el matrimonio como la unión de un hombre y una mujer para toda la vida. De haber sido así, sus leyendas y sus mitos no serían, quizá, tan divertidos. Por deplorable que sea, una vida tranquila y virtuosa no inspira historias fascinantes. Por eso Hestia, diosa del hogar y símbolo del ambiente doméstico y de la familia, no aparece con mucha frecuencia en los mitos griegos. Aunque los antiguos griegos la tuviesen en gran consideración y consagraran a ella el hogar de todas las casas, Hestia no mató ningún monstruo ni tejió aventuras románticas con dioses o seres mortales.

En este sentido fue Zeus probablemente el que dio peor ejemplo: las historias de jóvenes bellísimas que cortejó son infinitas. Una de ellas fue Leto, una hija de los Titanes que vivía en el Olimpo. Cuando Hera se enteró de que Leto esperaba un hijo de Zeus, la expulsó y, para no dejarle tener ni un momento de tregua, mandó a la serpiente Pitón que la persiguiera por todo el mundo.

Después de nueve penosísimos meses, Leto llegó a la isla Ortigia, en las costas de Sicilia, y dio a luz a una hija, Ártemis. Siempre perseguida por la serpiente, se dirigió a la isla de Delos, en el mar Egeo, y allí alumbró a Apolo, hermano gemelo de Ártemis. Eran dos niños hermosísimos. Zeus los vio por vez primera cuando tenían tres años y, orgulloso de ellos, decidió llevarlos al Olimpo.

Pasaron los años, y un día los llamó junto a sí.

—Mira, Apolo, tengo un regalo para ti —dijo, acompañándolo a ver una bellísima biga de oro con caballos blancos uncidos. Eran unos animales maravillosos, que piafaban enganchados al carro, impacientes por correr a través del cielo con su nuevo dueño.

En la biga había un arco y una aljaba de oro.

—Esto lo ha hecho Hefesto para ti con el mejor material y toda su habilidad.

Luego se volvió hacia Ártemis.

—A ti no sabía qué podría gustarte. Elige tú misma. Dime lo que quieres y lo tendrás.

Ártemis no vaciló. En muchos aspectos era como su hermano gemelo: prefería la vida al aire libre. La casa y la familia no la atraían demasiado. Le gustaba andar con su hermano por las montañas solitarias correteando y cazando gamos.

—Dame un arco, flechas y una biga como la de Apolo, pero de plata, no de oro. Dame también una túnica corta tejida con hilos de plata para ir a cazar, una jauría de perros y veinte ninfas de los bosques y veinte ninfas de las aguas por compañía.

A diferencia de las jóvenes de su edad, Ártemis no pensaba en los hombres y había decidido no casarse. No obstante, los griegos la adoraban como protectora de los niños, porque se decía que su madre la había alumbrado sin dolor.

Los Cíclopes, los gigantes con un solo ojo, forjaron su arco y sus flechas bajo la dirección de Hefesto. El dios Pan le proporcionó perros criados en Esparta, y la propia Ártemis eligió las ninfas más hermosas. Cuando todo estuvo preparado mandó a dos de sus perros más veloces a las montañas salvajes.

—Corred veloces y libres y traedme dos ciervas. Pero mucho cuidado con herirlas. Y no me hagáis esperar —les ordenó.

Los perros volvieron rápidamente con la presa: dos ciervas con unos hermosísimos cuernos majestuosos. Ártemis las unció a su biga y, haciendo restallar el látigo y lanzando gritos de júbilo, se fue a las colinas, exultante por la libertad recobrada. Sus ninfas la seguían como velocísimos cervatillos, mientras los perros le abrían camino y sus ladridos resonaban en las rocas de los alrededores.

Cayó la noche antes de que Ártemis hubiera encontrado un blanco digno de sus flechas de plata; encendió entonces una antorcha en el fuego del Olimpo y a su luz apuntó a un pino alto y la flecha lo partió en dos. A la mañana siguiente otra de sus flechas atravesó a un jabalí, que cayó muerto al instante. Pero no le bastaba: quería demostrar su habilidad, y siguió con sus correrías, buscando de día y durmiendo de noche al abrigo de los árboles. Finalmente llegó a una ciudad donde reinaba la injusticia y todos los hombres eran egoístas y malvados. Disparó su tercera flecha, que se rompió en mil pedazos relucientes y mortales, matando así a toda la población en el mismo instante.

Los relatos de su habilidad pronto se esparcieron por todo el país, y Ártemis empezó a ser conocida como la diosa de la caza.

Ártemis mantuvo su promesa de no ligarse a ningún hombre. Cuando el dios del río Alfeo se enamoró de ella y la siguió, Ártemis huyó y con sus ninfas se untó el rostro de arcilla, de modo que el dios ya no pudo reconocerla y abandonó la persecución. También las ninfas habían hecho voto de castidad, aunque algunas

no lo cumplieron; Calisto, por ejemplo, no supo resistir a Zeus.

Ártemis se enfureció cuando supo que la ninfa estaba esperando un hijo de Zeus, y la transformó en osa, con intención de cazarla con sus perros y reducirla a pedazos. Afortunadamente intervino Zeus, que la llevó al cielo y la colocó entre las estrellas, donde puede vérsela aún hoy.

El joven Acteón no tuvo tanta suerte. Encantado por la belleza de Ártemis, que estaba bañándose desnuda, se detuvo a observarla. Irritada, la diosa lo convirtió en ciervo y fue despedazado por sus perros.

También Apolo estaba aprendiendo a utilizar los dones de Zeus. No había olvidado lo que le había contado su madre acerca de la horrible serpiente Pitón. Una vez que descubrió su madriguera en una cueva del Monte Parnaso, se dirigió allí y la encontró durmiendo al sol. Apuntó y disparó una de sus flechas de oro: el animal silbó de modo espantoso, pero sólo estaba herido y consiguió huir.

Pitón logró esconderse en el templo de Delfos, pero Apolo seguía persiguiéndola. Cuando la encontró, no se fió de una sola flecha, sino que la hirió repetidas veces hasta que la vio caer muerta a sus pies.

Delfos era el lugar sagrado donde se pronunciaban los oráculos de la Madre Tierra. Hasta los dioses consultaban el oráculo, y se sintieron ofendidos de que allí se hubiera cometido un asesinato. Querían que Apolo reparase de algún modo lo que había hecho, pero Apolo reclamó Delfos para sí. Se apoderó del oráculo y fundó unos juegos anuales que debían celebrarse en un gran anfiteatro, en la colina que había junto al templo.

Orgulloso Apolo de la victoria conseguida sobre la serpiente Pitón, se atrevió a burlarse de Eros por llevar arco y flechas siendo tan niño:

—¿Qué haces, joven afeminado —le dijo—, con esas armas? Sólo mis hombros son dignos de llevarlas. Acabo de matar a la serpiente Pitón, cuyo enorme cuerpo cubría muchas yugadas de tierra. Confórmate con que tus flechas hieran a la gente enamoradiza y no quieras competir conmigo.

Irritado, Eros se vengó disparándole una flecha, que le hizo enamorarse de Dafne locamente, mientras a ésta le disparó otra que la hizo odiar el amor y especialmente el de Apolo.

Apolo la persiguió y, cuando iba a darle alcance, Dafne pidió ayuda a su padre, el río Peneo de Tesalia, el cual la transformó en laurel. La metamorfosis de Dafne ha sido magistralmente descrita por Ovidio:

«Apenas había concluido la súplica, cuando todos los miembros se le entorpecen: sus entrañas se cubren de una tierna corteza, los cabellos se convierten en hojas, los brazos en ramas, los pies, que eran antes tan ligeros, se transforman en retorcidas raíces; ocupa finalmente el rostro la altura y sólo queda en ella la belleza. Este nuevo árbol es, no obstante, el objeto del amor de Apolo y, puesta su mano derecha en el tronco, advierte que aún palpita el corazón de su amada dentro de la nueva corteza, y abrazando las ramas como miembros de su cariño, besa aquel árbol, que parece rechazar sus besos. Por último le dice:

—Pues veo que ya no puedes ser mi esposa, al menos serás un árbol consagrado a mi deidad. Mis cabellos, mi lira y mi aljaba se adornarán de laureles. Tú ceñirás las sienes de los alegres capitanes cuando el alborozo publique su triunfo y suban hasta el capitolio con los despojos que hayan ganado a sus enemigos. Serás fidelísima guarda de las puertas de los emperadores, cubriendo con tus ramas la encina que está en medio, y así como mis cabellos se conservan en su estado juvenil, tus hojas permanecerán siempre verdes.»

A Apolo le gustaba la música y era famoso por su delicada destreza para pulsar con sus dedos las cuerdas de la lira. Nadie lo superaba en habilidad. De pronto, un día oyó decir que un joven sátiro, llamado Marsias, producía con su flauta melodías más dulces que las suyas.

—Que juzguen las Musas quién de los dos es mejor —declaró Apolo—. Y que el vencedor disponga a su antojo del vencido.

Marsias estaba demasiado aterrado como para discutir la voluntad de un dios, y comenzó la prueba. Primero se exhibió Apolo y después Marsias. Las Musas se consultaron durante un buen rato y luego movieron la cabeza, incapaces de dar su veredicto. Apolo se enojó.

—Vamos a hacer otra prueba. Tocaremos con el instrumento al revés. Yo soy un dios y tú no eres más que un sátiro, así que tengo derecho a empezar.

Apolo dio la vuelta a su lira y comenzó a tocar: brotó una música dulce, melodiosa. Cuando le tocó a Marsias, se dio cuenta de que ha-

bía caído en la trampa, porque era imposible tocar con la flauta al revés.

Marsias pagó cara su derrota. Apolo lo desolló vivo y colgó su piel de un pino en las proximidades de un río que corría por allí cerca y desde entonces tomó el nombre del sátiro.

Los que aceptaban un desafío de los dioses sabían a los riesgos y peligros que se exponían, pero es triste pensar que Apolo tuviera que recurrir a un engaño para vencer en la prueba.

Como la mayor parte de los dioses, también Apolo tenía la posibilidad de cambiar de aspecto. Un día la ninfa Dríope estaba cuidando el rebaño de su padre con sus amigas, las dríades. Mientras pastaban las ovejas, la ninfa cogía flores blancas en las laderas de la montaña. Apolo, que andaba por aquellos lugares, vio el grupo y se quedó impresionado ante la belleza de Dríope. Pero pensó que, si se acercaba, las jóvenes huirían.

Sin hacer ruido se convirtió en tortuga y se dirigió lentamente hacia ellas. Curiosas y divertidas, las jóvenes se fueron pasando de mano en mano la tortuga para mejor admirar los dibujos de su caparazón. Cuando le tocó a Dríope pretendió quedarse con ella y la escondió entre los pliegues de su túnica. Inmediatamente

la tortuga se convirtió en serpiente. Aterrorizadas, las ninfas se dieron a la fuga y Dríope cayó desvanecida en tierra. Cuando se recobró, Apolo, según sus planes, estaba estrechándola entre sus brazos.

Muy pronto Apolo fue visto con otra jovencita, una princesa de Tesalia llamada Corónide o Coronis. Aunque enamorada de un joven príncipe, por nombre Isquis, Corónide aceptó a Apolo como amante y le dio un hijo.

El dios sospechaba que no era el único en ser amado por Corónide y un día, al salir de viaje, dejó a un cuervo blanco encargado de que la espiase. Hacía pocos días que se había ido, cuando el pájaro lo alcanzó para decirle que Corónide estaba con su amado.

—¡Traidor! —gritó irritado Apolo, y, mientras hablaba, las plumas del cuervo se volvieron negras. Desde aquel día toda la familia de los cuervos lleva el signo de aquella maldición.

Quiso también castigar a Corónide, pero no tuvo valor para hacerlo personalmente y dio el encargo a su hermana Ártemis, que la mató con una de sus flechas de plata.

El hijo de Corónide, Asclepio o Esculapio, fue perdonado, y adoctrinado por el centauro Quirón llegó a ser sapientísimo en el arte de la medicina. No había enfermedad que no fuera capaz de curar y vencer. Sus curaciones se hicieron cada vez más extraordinarias y su fama se esparció por doquier. Se decía que había llegado incluso a resucitar muertos. Entonces Hades, el señor de ultratumba, se quejó ante Zeus, porque estaba siendo agredido en sus justos derechos y porque Asclepio, haciendo volver a los hombres a la luz, perturbaba el orden natural de las cosas. Zeus comprendió que aquel médico excesivamente experto contravenía las leyes de la naturaleza y lo hirió con un rayo.

Inmediatamente, Apolo se vengó. Sin preocuparse del poder de Zeus, descendió con su carro de oro a la fragua de los Cíclopes fabricantes de los rayos, y los mató con las mismas flechas que ellos habían forjado para él.

Gracias a la intercesión de Leto, Apolo no fue condenado al Tártaro para siempre. Aun así, permaneció un año entre los condenados. Fue un período largo y difícil. Apolo tuvo que renunciar a todo lo que le era más querido: la libertad, las colinas floridas, el cielo azul, la música. Pero durante el año que pasó en los infiernos adquirió la paciencia y la sabiduría que antes no poseía. Y desde entonces aprendió a vivir una vida de paz y tranquilidad.

El carro del Sol

Helio, hijo del Titán Hiperión y Tea, era el dios que todos los días daba la vuelta al cielo de oriente a occidente con el carro del Sol, proporcionando luz y calor al mundo. Al anochecer volvía a su casa del septentrión, navegando con su barca dorada por las aguas del río Océano, que circundaba la tierra. Allí descansaba antes de emprender el viaje a la mañana siguiente.

Era su carro de oro, tirado por cuatro piafantes corceles con las crines de oro, y él mismo llevaba un yelmo de oro centelleante de joyas. Quien lo miraba tenía que taparse los ojos en seguida para no quedar deslumbrado por la luz que irradiaba a su alrededor.

Faetón, o Faetonte, era hijo de Helio y de Clímene, una de las cincuenta hijas de Nereo —antiguo dios marino conocido como «el viejo del mar»—, y fue educado en la entonces fértil tierra de Egipto. Aunque todos los días veía a su padre a lo lejos en su viaje a través del cielo, raras veces recibía visita suya, porque Helio tenía una dura tarea y su casa estaba muy lejana. Si hubiera ido más a menudo, la historia de Faetón habría sido menos triste, porque el muchacho creció bajo las burlas de sus compañeros, que no se creían que fuese hijo del dios del sol.

—No eres mejor que nosotros —le decían—. No tenemos necesidad de andar fingiendo que nuestros padres son dioses para parecer importantes. Estamos contentos con lo que somos y tú también deberías estarlo.

—Os demostraré que estáis equivocados —respondió Faetón temblando de cólera.

Pensó un momento, y luego decidió que no había más que un modo de demostrar que decía la verdad. Iría a ver a su padre y le pediría un favor que, de concedérselo, barrería la menor duda de la cabeza de los otros muchachos.

Se puso en camino y tras muchos días de viaje llegó al palacio de su padre, que se encontraba al oriente, más allá del horizonte.

—Soy tu hijo Faetón —le dijo—. He hecho un largo viaje desde la casa de mi madre Clímene en Egipto sólo para ver a mi padre y pedirle un favor.

—Pues hala, pídelo —le respondió Helio.

Pero cuando Faetón dijo lo que quería, el dios frunció el ceño.

—Lo que me pides es imposible. Puedo dártelo todo, pero no eso. Hace falta habilidad, experiencia y una gran fuerza. Eres muy joven para una tarea tan difícil.

Faetón le había pedido que le dejara ocupar su puesto por un día y conducir el carro del sol a través del cielo, para que sus amigos pudieran verlo y convencerse de que había dicho la verdad. El joven suplicó largo rato, pero Helio, aunque le había dado su palabra, no quería ceder. Al fin consintió.

—Bueno, pero sólo un día. Mis caballos son briosos y fogosos; nadie ha podido nunca con ellos. Ten mucho cuidado. No te lances ni muy arriba ni muy abajo. Sigue el largo sendero y sujeta las riendas con firmeza. Si los caballos se sienten libres, puede ocurrir un desastre.

Al alba saltó Faetón al carro del sol y empuñó las riendas. Los caballos parecían tranquilos y dóciles. Se sentía seguro: restalló el látigo en el aire claro de la noche y arrancó.

Los caballos lanzaban fieros la cabeza al viento, y en sus ojos brillaba un resplandor salvaje: sentían una vez más la libertad de los cielos y notaban que no los guiaba la mano firme y segura de Helio. Cuando pasaron por la tierra de Faetón, el joven vio debajo de él las casitas de sus amigos, con las puertas cerradas todavía.

—¿Cómo van a reconocerme? —se preguntó—. Tengo que hacer bajar a los caballos. Quiero que me vean y sepan lo que significa ser hijo de un dios.

Restalló el látigo y guió a los caballos más abajo, hacia la tierra, lejos del sendero seguro. Los caballos descendieron más de lo que el mismo Faetón hubiera podido imaginar. Parecía como si los árboles y las rocas fueran a absorberlo en un torbellino, y luego, mientras el carro cambiaba bruscamente de dirección, se alejaban y empequeñecían. Por un instante le pareció ver en la esquina de su casa un grupo de muchachos asustados: sus amigos.

Los caballos, desbocados, cocearon, galoparon libres y desenfrenados, rozaron la superficie de la tierra abrasando árboles y plantas, secando el grano, incendiando la ciudad con el terrible calor del sol. La fértil tierra de Egipto se convirtió en un desierto ardiente y estéril, a excepción de un sutil hilo de verdor por el que siguieron corriendo las aguas del Nilo. Un instante después los caballos se dirigieron hacia lo más alto, más allá de las nubes, y la tierra se enfrió y los mares se helaron.

Faetón invocó a su padre, pero el dios del sol no podía ayudarlo. Parecía que toda la tierra iba a perecer, cosa que habría sucedido si Zeus, desde lo alto del Olimpo, no hubiera fulminado con un rayo al joven, ahora totalmente enloquecido.

Faetón cayó del carro y se hundió en las aguas del Erídano. Acudieron las ninfas del agua y derramaron lágrimas sobre el cuerpo del joven, abrasado por el calor, con intención de hacerlo volver a la vida. Lloraron inconsolables sobre los míseros despojos. Se dice que Zeus, movido de piedad, transformó sus lágrimas en gotas de ámbar y a ellas mismas en álamos plateados. Y allí se puede ver aún hoy, deseosos de aliviar del calor, con sus hojas palpitantes, a la tierra de los alrededores.

Helio, lleno de tristeza, salió a buscar su carro. Lo encontró en las montañas de Etiopía. La tierra de los alrededores estaba seca y sin vegetación; los caballos andaban sin rumbo. El dios se acercó, y con su capa cubrió sus ojos espantados. Luego los condujo hacia el lejano occidente. Viajaba despacio por el ancho sendero que ellos conocían bien. Durante el resto de aquel día las tinieblas cubrieron la tierra.

Atenea, la diosa de la sabiduría

Es poco probable que Zeus se aburriera: la mayor parte del tiempo se lo pasaba manteniendo la armonía entre los dioses caprichosos y ocupado en cortejar ninfas y también hermosas jovencitas. Naturalmente, Hera fue la esposa más importante, pero no fue la única. También fue esposa suya Metis, la cual descendía de los antiguos Titanes.

Metis se casó con Zeus de mala gana y tras un largo cortejo. Para huir de él primero se transformó en pez, pero también Zeus se convirtió en pez y la siguió a nado. Salió del agua y se cernió sobre los aires en forma de águila, pero también Zeus se convirtió en águila. No había escapatoria. Muy pronto Metis, resignada, dijo a Zeus que esperaba un hijo. Ansioso de saber si era varón o hembra, Zeus fue a consultar al oráculo de Delfos.

—¡Oh poderoso Zeus! —proclamó el oráculo—. El primogénito de Metis será una niña de grandes dotes, sabia y buena. Pero el segundo hijo será varón, y te derrocará como tú has hecho con el omnipotente Crono.

Zeus se sintió profundamente afectado por aquellas palabras y decidió no correr riesgos, ni siquiera con el primer hijo. Un día, antes de dar a luz, estaba Metis paseándose por el bosque cercano al lago Tritónide, en Libia, y Zeus la llamó con una seña. La diosa se acercó sonriendo, pero él la agarró y la devoró, igual que hace el lucio con los peces pequeños. Ahora ningún hijo de Metis amenazaría su reino.

Se había librado de Metis, pero en su lugar le sobrevino un terrible dolor de cabeza. Ninguno de los remedios habituales le sirvió de nada. Entonces mandó llamar a Hefesto.

—Hay un espíritu maligno dentro de mí, que es preciso poner en libertad —dijo.

El dios tomó el hacha de bronce que había traído consigo y de un hachazo abrió una hendidura en el cráneo de Zeus para que saliera el espíritu. Pero no sucedió nada de eso. De la herida saltó afuera una joven bellísima con cabellos rubios y ojos azules. Traía puesta la coraza y sostenía una lanza en la mano. Al verla, Zeus comprendió que era la hija de Metis y, a pesar de sus primeros temores, la aceptó y le dio el nombre de Atenea.

Atenea creció en el mismo lugar en que había nacido. Tal como había predicho el oráculo, estaba particularmente dotada de talento e ingenio y era experta en muchas artes. De ella aprendieron los hombres muchas cosas. La primera, a hilar y tejer la lana; enseñó a

los hombres a hacer la rueda, el hacha, la flauta y la trompeta, el arado, las velas para las naves veloces. Siempre conseguía nivelar las diferencias de opiniones y las discusiones animadas. Muchas veces la llamaban como juez, porque sabían que sus veredictos eran justos y, si era posible, clementes.

Aunque de índole pacífica, era también hábil en la estrategia de la guerra y fue repetidas veces puesta a prueba. Pero antes de nada intentaba llegar a un acuerdo, como hizo cuando Posidón quería apoderarse de Atenas. Sin embargo, también tenía su punto flaco. Como casi todas las divinidades, era envidiosa de las rivales que querían competir con ella en los campos en que pensaba que era con mucho la mejor de todas.

Vivía en aquel tiempo en Lidia una muchacha llamada Aracne; era Lidia tierra famosa por sus tejedores y por el tinte de púrpura que usaban para teñir los tejidos. Aracne, aunque no tenía más de diecisiete años, era habilísima en el telar. No sólo era rápida y precisa, sino que tenía también mucha inventiva en la creación de nuevos dibujos.

A medida que iba ganando en destreza, más ambiciosa se hacía. Tenía en proyecto un tapiz enorme, que sería su obra maestra. Pensaba en escenas tomadas de las historias de los dioses: Posidón cabalgando por las ondas del mar; Deméter llorando por Perséfone; Prometeo encadenado a la roca; la bellísima Afrodita; Ártemis con su arco de plata. Estas y otras divinidades iban a adquirir vida en su tela.

Cuando hubo terminado su trabajo, los habitantes del pueblo, los de la ciudad y los de la tierra de Lidia fueron a contemplarlo. Rodeada de tanta admiración, Aracne se fue haciendo cada vez más orgullosa y vanidosa. Cuando alababan su obra y le decían que era un don de Atenea, movía la cabeza:

—Ni Atenea puede competir conmigo. Sí, claro, me enseñó a dar las primeras puntadas, ¡pero mirad este trabajo! Hasta los dioses me lo envidiarían.

No pasó mucho tiempo sin que la noticia llegase a oídos de Atenea, que decidió ver por sí misma lo que había hecho la joven. Dejó el telar en que estaba trabajando y se dirigió a la plaza del mercado del pueblo en que vivía Aracne. El tapiz estaba extendido sobre dos largas tablas. La joven, halagada por la visita de la diosa, se arrodilló a sus pies.

—Levántate, hijita —dijo la diosa—, y enséñame lo que has hecho.

Lentamente, Atenea, seguida a pocos pasos por Aracne, se puso a examinar cada puntada, el matiz de los colores, el movimiento del conjunto. Poco a poco sus ojos azules se fueron ensombreciendo, comenzó a palidecer y frunció el ceño. Había venido pensando ver el trabajo de una muchacha que podía ser su discípula, y se había encontrado con una obra por encima de sus posibilidades.

Al principio luchó por no dejar traslucir sus sentimientos, pero era una auténtica hija del tempestuoso Zeus y no pudo disimular la envidia. Trastornada por la rabia, agarró el tapiz y, tirando con todas sus fuerzas, lo rasgó.

Pálida e incrédula, Aracne se quedó mirándola, y luego echó a correr y se refugió en el bosque. Pero ya no se sentía capaz de vivir y trepó a las ramas de un árbol: una patética figura vestida de blanco, que había perdido todo aquello en lo que creía. Atenea la siguió.

—Sigue tejiendo —dijo a la muchacha muerta—, pero teje para ti sola. Tu hilo será ahora mil veces más sutil, tu tela mil veces más delicada; pero pocos repararán en ella y creo que nadie volverá a compararte con los dioses.

Y mientras hablaba, el cuerpo de la joven empequeñeció hasta convertirse en una araña que tejía sus frágiles telas.

La transformación de Aracne la cuenta Ovidio en el libro VI de las *Metamorfosis*:

La tela de Aracne, «en que los delitos de los dioses estaban tan vivamente representados», era «tan perfecta que Minerva (Atenea) no pudo hallar en ella defecto alguno, por lo que la diosa se encendió tanto en ira que rompió la labor, y

con su lanzadera de boj del monte Cítoro hirió muchas veces la frente de Aracne, que, con el pesar de verse tan despreciada, se echó animosa un cordel a su garganta para ahorcarse. Palas, movida sin embargo a compasión, sosteniéndola en el aire, temerosa de que no acabara de ahogarse, le habló en estos términos:

—Vive, insolente Aracne; pero estarás siempre colgada, y para escarmiento de tus descendientes comprenda la misma ley de tu pena a toda tu sucesión.

Apartándose Palas después, la roció con zumo de una hierba envenenada y, al punto, con su actividad, le hizo caer los cabellos, nariz y orejas: su cabeza y su cuerpo se disminuyeron; aparecen unos dedos muy delgados en lugar de piernas; el vientre ocupa el resto del cuerpo, del cual aún ahora sale estambre, y por eso las arañas ejecutan sutiles telas a imitación de las que ésta hacía cuando mujer».

Atenea, como Ártemis, no se casó, aun cuando muchos intentaron obtener su mano. Pero era más comprensiva que la diosa de la caza. Un día sorprendió a un hombre, Tiresias, observándola mientras se bañaba, tal como le sucedió a Ártemis con Acteón. Pero, mientras que Acteón fue transformado en una bestia salvaje, Tiresias fue condenado a la ceguera, sí, pero se le concedió a cambio el don de la luz interior, de modo que se convirtió en el más grande adivino de su tiempo.

Atenea es conocida a veces también como Palas Atenea, pero no se sabe con seguridad de dónde le vino este segundo nombre. Hay diversas versiones de la historia, y la primera se remonta a su infancia en Libia. Ya de pequeña puso de manifiesto muchas de las cualidades que habrían de distinguirla más tarde como experta en el arte de la guerra. Muchos de los juegos a que se entregaba eran batallas imaginarias y, para que parecieran más reales, las hacía con lanzas y espadas. Un día sucedió que uno de aquellos combates de mentirijillas tuvo un final trágico.

Atenea estaba con su amiga Palas a las orillas del lago Tritónide, vestida con yelmo, coraza y escudo. Las dos muchachas estaban jugando a que eran dos dioses del Olimpo que se batían por obtener la mano de la joven más hermosa del reino. Con la espada en una mano y la lanza en la otra, las dos estaban dispuestas a atacarse. Se pusieron en guardia. Empezó Atenea y Palas hurtó el cuerpo, pero en aquel preciso instante Atenea tropezó e hirió a su compañera, que no tuvo tiempo de evitar el golpe. Se oyó un grito, y Palas, herida en el corazón, cayó muerta. Desde aquel día Atenea añadió a su nombre el de Palas, en recuerdo de su amiga.

Según otra versión, el suceso ocurrió cuando Atenea era más mayor y ya se había marchado de Libia a Atenas, en la tierra de Grecia. Tenemos otra vez el relato de un accidente y también Atenea y Palas estaban combatiendo. En esta historia Palas era hermanastra de Atenea, y las dos muchachas habían sido educadas por el padre de Palas, el dios de los ríos Tritón. Zeus, como siempre, velaba por la muchacha, que era su hija preferida, y cuando se dio cuenta de que Palas iba a asestar la estocada vencedora la distrajo. Bastó ese momento de descuido para que Atenea respondiera con un contragolpe, que fue mortal para su hermanastra.

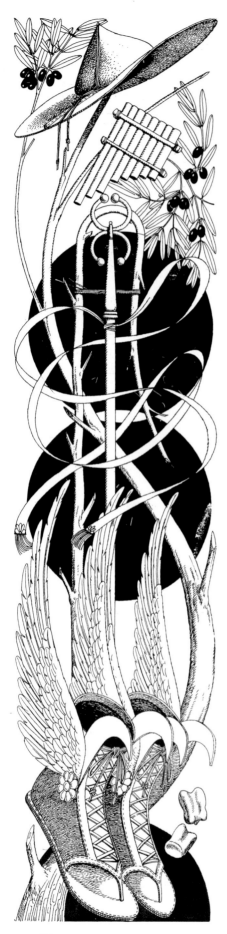

Hermes, el mensajero de los dioses

Muchos dioses realizaron hazañas sorprendentes de jóvenes, pero ninguno pudo igualarse a Hermes. Había nacido en el Monte Cilene y era hijo de Zeus y de Maya, una de las hijas de Atlas. Se cuenta que salió a buscar aventuras cuando aún no tenía más que unas pocas semanas: para un dios nada es imposible. Mientras bajaba de la montaña vio un rebaño de vacas blancas que estaban paciendo en el valle que se extendía a sus pies. Sus ojos se iluminaron con una expresión maliciosa: se le ocurrió gastar una broma al amo de las vacas.

En cuanto llegó al valle cortó una rama de un aliso que crecía junto a un riachuelo y la utilizó para reunir a todos los animales en un ángulo del claro. Luego fue al riachuelo a cortar juncos delgados y flexibles, y al prado a recoger haces de hierba. Con los juncos flexibles ató la hierba a los cascos de las vacas y, a continuación, las hizo subir por un sendero montaña arriba.

Escalaron durante un rato hasta que Hermes vio, al otro lado de un bosquecillo de olivos, una estrecha garganta, cuyos flancos eran tan escarpados que el fondo estaba siempre en sombra. Por allí discurría un pequeño sendero que conducía allá abajo, aunque el descenso era harto peligroso. Sabía que aquél era un escondite perfecto para las vacas.

Los animales bajaron lentamente en fila india y en el fondo hallaron también buena hierba para pacer. Contento de haber llevado a término su plan, Hermes volvió al camino. Quienquiera que fuese el dueño de las vacas tendría que pasarse muchos días buscándolas.

Lo que Hermes no sabía es que los animales pertenecían a su hermanastro Apolo, el cual, cuando se dio cuenta de que sus vacas habían desaparecido del valle, pensó que se las habría robado un ladrón vulgar y corriente de ganado, y llamó en su ayuda a los sátiros. Exploraron juntos todas las montañas de los alrededores. El radio de búsqueda fue ampliándose cada vez más, hasta que un día, al pasar por la Arcadia, Apolo oyó el son de una música dulce que procedía de una gruta. Decidió ir a ver: le gustaba todo tipo de música, y la que estaba oyendo era producida por un instrumento que no conocía. Notó, además, que en la hierba, junto a la gruta, había una piel blanca de vaca tendida a secarse al sol.

Apartó unas matas de flores amarillas que cubrían parcialmente la entrada de la cueva y miró al interior. En la semioscuridad vio a la ninfa Cilene, que llevaba un niño en brazos. Comprendió que era el niño el que tocaba.

—Dime, ¿cómo es posible que un crío tan pequeño sea tan hábil? —preguntó Apolo.

—Estoy tan maravillada como tú —respondió la ninfa—. Todo lo que puedo decirte es que ha nacido por aquí y que me lo he encontrado andando solo.

Apolo se acercó para ver mejor el instrumento que estaba tocando el niño. Estaba hecho con el caparazón de una tortuga y tenía tres cuerdas tensadas en la parte cóncava. Cuando las punteaba, las cuerdas emitían notas claras y armoniosas. Apolo preguntó:

—¿De dónde lo has sacado?

Había notado que las cuerdas eran de tripa de vaca y comenzaron a asaltarle sospechas.

—Parece que se lo ha hecho él mismo —dijo Cilene—. Lo llama lira.

Hermes se dio cuenta de que Apolo debía de haber visto la piel tendida fuera de la gruta y comprendió que las sospechas del dios estaban convirtiéndose en certezas.

—Tienes que perdonarme —dijo—. Era sólo una broma. No intenté hacer ningún daño. Te devolveré todos los animales; bueno, todos menos uno. Me vi obligado a matarlo para poder hacer las cuerdas de la lira. A cambio, el instrumento será tuyo y te enseñaré a tocarlo.

Hermes estaba contento de haberse encontrado con un dios y se puso locuaz: habló de su breve vida y de su padre. Apolo comprendió que se trataba de Zeus y entonces tomó al niño y lo llevó al Olimpo. Zeus se regocijó interiormente cuando se enteró de la broma que el pequeño Hermes le había gastado a su hermanastro, pero fingió desaprobarlo.

—No es un comportamiento digno de un dios —dijo—. Los dioses no roban ni cuentan mentiras. Pero ahora estás aquí. ¿Qué podemos hacer contigo? Sabes hablar bien y tienes cierto gusto por la aventura. Quizá podamos sacar algo en limpio.

Estuvo pensando unos minutos, y luego dijo a Hermes que desde entonces sería el mensajero de los dioses y el protector de los viajeros. Le entregó el caduceo —la vara del mensajero con dos alas y dos serpientes entrelazadas— y un par de sandalias aladas de oro para moverse velozmente durante sus misiones. También Hades vino a ver al más pequeño de los dioses y le dio el encargo de acompañar a los muertos a su reino subterráneo.

La mente despierta de Hermes estaba siempre en acción. Miraba a las estrellas y se hacía preguntas, dando así origen a la ciencia de la astronomía. Estudió las letras e hizo el primer alfabeto; formó la primera escala musical; inventó los pesos y medidas para el grano y para los líquidos, y enseñó a los sabios cómo predecir el futuro. Inventó juegos, también los de cartas. Entre otros muchos descubrimientos inventó el sistema para encender fuego, haciendo girar un palito de madera dura en un tocón, e hizo a otros partícipes de su descubrimiento.

Por su astucia fue considerado el dios de los ladrones, el dios del ganado y de los negocios. En aquellos tiempos en que el ganado era un medio importante de calibrar la riqueza de un hombre, eso y los negocios eran una sola y misma cosa.

Muchos envidiaban sus dones, otros admiraban sus cualidades. Reían cuando contaba historias un tanto inverosímiles, pero se abstenían de hacer juicios tras haber tenido prueba de la verdad de los hechos. Alegre, simpático, charlatán, no podía uno fiarse de todo lo que contaba. Aun sin decir mentiras, todo lo embrollaba con verdades a medias. No se sabía si hablaba en serio o bromeaba, y a los dioses más severos les parecía que era una cosa difícil de entender. O tal vez preferían aceptarlo así y no querían molestarse en llegar hasta la verdad. Con Hermes estaban dispuestos a representar el papel de víctimas.

El IV *himno homérico* resume así sus atributos:

«Cuando se cumplía el designio del gran Zeus y la décima luna se fijó ya en el cielo, él lo sacó a la luz y sus acciones quedaron al descubierto. La Ninfa dio a luz un niño versátil, de sutil ingenio, saqueador, ladrón de vacas, caudillo de sueños, espía de la noche, vigilante de las puertas, que rápidamente iba a realizar gloriosas gestas ante los ojos de los dioses inmortales.

Nacido al alba, tañía la lira a mediodía y por la tarde robó las vacas del certero Apolo, el cuarto día del mes en que le dio a luz la augusta Maya. Cuando saltó de las inmortales entrañas de su madre, no aguardó mucho tiempo tendido en la sacra cuna, sino que se puso en pie de un salto y fue a buscar las vacas de Apolo, tras franquear el umbral del antro de alta bóveda.

Al encontrarse allí una tortuga, logró una dicha infinita: Hermes fue el primero que se fabricó una tortuga musical [la lira]. Esta se le puso por delante a las puertas del patio, pastando ante su morada la hierba lozana con andares retozones...»

Pan y Dioniso: los dioses salvajes

La paternidad de Pan ha sido atribuida a muchos, e incluso al mismo Zeus, pero nada puede afirmarse con certeza. Es muy probable que Pan no fuese reconocido por su verdadero padre, debido a su fealdad: era grueso y peludo, y tenía cuernos, barba, rabo y pezuñas de cabra. Los demás dioses lo despreciaban por su aspecto físico y no lo consideraban uno de ellos, aunque por nacimiento era un dios y, según algunos, un dios más viejo que los antiguos Titanes.

Pan no se preocupaba mucho, porque era un ser sencillo y sin ambiciones. No aspiraba a las altas cimas del Olimpo y estaba contento viviendo entre los mortales en la Arcadia, en el centro de la Grecia meridional. Era aquélla una tierra de amplias llanuras, mezcladas con bosques y montes. Pan habitaba al norte, en una montaña, y vivía como un pastor, siguiendo sus ovejas y sus cabras y cuidando sus abejas. Por la noche participaba con entusiasmo en las fiestas de las ninfas de los bosques, y a veces se sentía como invadido por un estado salvaje. Le gustaba muchísimo esconderse entre los árboles cuando pasaba algún extraño, para hacerlo huir despavorido, produciéndole *pánico* con un repentino grito salvaje.

Pan cortejó a muchas ninfas, y entre ellas a Siringe, que huyó aterrorizada a las orillas del río Ladón y se convirtió en caña para escapar de él. Incapaz de reconocerla entre tantas, Pan cortó unas cuantas cañas con las que hizo unas flautas, el instrumento llamado *siringa,* por el que aún hoy es conocido.

Sólo cuando advirtieron su gran habilidad para tocar la flauta, los dioses lo llevaron al Olimpo, para que les enseñara su arte. Pero, por sus miradas burlonas, pronto Pan comprendió que no lo aceptaban por sí mismo, y volvió a la Arcadia a vivir como antes.

La historia del dios Dioniso, o Baco, contrasta claramente con la del sencillo Pan. Es la historia de un dios empujado por fuerzas que no sabía controlar.

Era hijo de Zeus y de Sémele, la hija del rey de Tiro. La mujer de Zeus, Hera, llena de celos, destruyó a Sémele con un rayo, pero Rea, una diosa de los Titanes, puso al recién nacido a salvo y lo confió a los cuidados del rey de Tebas, Atamante, y de su mujer Ino. Para mayor seguridad, Dioniso fue vestido de niña, aunque fue inútil. Hera descubrió dónde se encontraba y enloqueció a la real pareja, hasta tal punto que en un acceso de locura el rey y la reina mataron a sus propios hijos.

A Dioniso no le sucedió nada, por el momento, pero Hermes, por orden de Zeus, voló hasta donde estaba y lo transformó en cabrito para poder esconderlo mejor. Más tarde lo llevó de noche y en secreto al monte Nisa, donde las ninfas podían dedicarse a él. Con ellas recobró la forma humana, a excepción de dos cuernos pequeños, parecidos a los de un cabrito, que le quedaron para el resto de la vida. Mientras habitaba en las montañas empezó a plantar las primeras cepas en sus laderas. A cualquier parte que fuera plantaba vides, y por este motivo fue conocido como el dios del vino.

Pasó el tiempo, y parecía que todo transcurría de la mejor manera posible, cuando Hera, que no había renunciado a buscarlo, acabó encontrándolo. Sin la más mínima piedad, le estrujó el cerebro hasta hacerlo enloquecer, como les había sucedido a Ino y Atamante.

Dioniso empezó entonces a rechazar a las amables ninfas que lo habían seguido con tanto amor, y eligió por compañeros a los bestiales y desordenados sátiros, encabezados por Sileno, y a las ménades o bacantes. Las ménades eran mujeres salvajes e indómitas. Vestidas con pieles de animales y armadas de espadas y serpientes, eran horribles a la vista y destruían todo lo que encontraban a su paso.

Con aquel extraño séquito marchó el joven dios a tierras lejanas, combatiendo y destrozando sin piedad a quien se cruzaba en su camino. Para empezar visitó Egipto, y allí se le unieron las Amazonas para reponer en el trono al rey Amón; luego se lanzó a la India, tierra que logró someter tras largas y sangrientas batallas. En Oriente descubrió lugares, costumbres y animales desconocidos en aquel tiempo en su país de origen: cuando volvió, trajo a Europa los primeros elefantes.

A su regreso, Rea desafió a Hera y pudo hacerlo volver a su sano juicio, pero ya era tarde. Aunque se percibió en él un ligero cambio, Dioniso no renunció a su séquito de sátiros y ménades y al tipo de vida que habían llevado juntos.

Sin embargo, no siempre Dioniso y su extraño ejército resultaban vencedores. Cuando invadieron Tracia, el rey Licurgo los expulsó inmediatamente, y aunque Rea, siempre atenta, hizo enloquecer a Licurgo para salvar a Dioniso, éste escapó de la muerte sólo arrojándose al mar. Allí lo tuvo escondido la ninfa Tetis, hasta que fue conjurado el peligro.

Con intenciones más pacíficas visitó el dios del vino Tebas, la ciudad principal de Beocia, situada al norte de Atenas a una distancia de unos días de viaje. Las gentes que vivían allí eran tranquilas y reservadas y, si bien se esforzaron por parecer hospitalarias, no pudieron soportar el comportamiento desenfrenado y desagradable de los sátiros y de las ménades. Miraban con desaprobación las danzas salvajes que ejecutaban durante la noche en las laderas del monte Citerón, y no conseguían dormir a causa del sonido de sus músicas.

Entonces el rey de Tebas ordenó que detuvieran a Dioniso y sus secuaces. Pero, antes de que ocurriese, Dioniso lo hizo enloquecer y los sátiros huyeron.

Abandonando Beocia alborotadamente, el dios partió para las islas Egeas. La tripulación, que ignoraba su identidad, lo ató al mástil de la nave y puso rumbo hacia el puerto de Priena, en Asia Menor, con intención de venderlo como esclavo.

Pero bien pronto los marineros se dieron cuenta de que se habían equivocado: Dioniso destrozó las cuerdas y, ante sus ojos incrédulos, se transformó en un feroz león. Su rugido era semejante al de mil bestias salvajes.

Petrificados de horror, los tripulantes se arrojaron al mar y se convirtieron en delfines.

Dioniso viró la nave y navegó hacia la isla de Naxos, donde se casó con la hija del rey. Y fue la influencia de ella la que lo hizo cambiar de vida. Llegó incluso a sacar a su madre de los infiernos y le cambió su nombre de Sémele por el de Tíone, para que Hera no la reconociese. Los días de maldad habían quedado a sus espaldas.

Un himno del libro IV de las *Metamorfosis* resume la historia de Dioniso o Baco:

«Tú eres, ¡oh Baco!, aquel niño eterno cuya juventud está siempre lozana; eres el más hermoso y amable de los dioses del Olimpo; cuando te manifiestas sin los cuernos que sueles llevar, tienes todo el esplendor y la hermosura de una joven doncella; tú conquistaste el oriente hasta donde el remoto Ganges baña la aterrada India; tú castigaste al sacrílego Penteo y al sanguinario Licurgo; precipitaste en las ondas a los perjuros marineros de Toscana. Va tirado tu carro de dos linces, cuyos elevados cuellos oprimes con pintados frenos, y te siguen las bacantes, los sátiros y aquel borracho viejo (Sileno) que apenas puede sostenerse con la férula ni cabalgar en su cabizbajo jumentillo. Por donde pasas te celebran el clamor de los jóvenes y las voces de las mujeres; suenan los panderos, las trompetas y las horadadas flautas.»

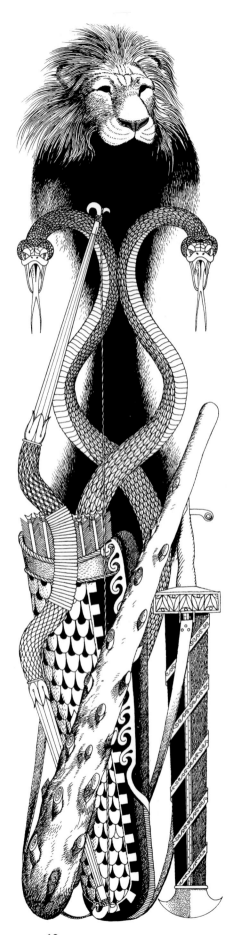

Los trabajos de Hércules

Hércules es probablemente el héroe griego más conocido y las historias sobre él y sus hazañas son innumerables. Tales son y tan numerosas, que con toda probabilidad se le atribuyeron a él también proezas de otros hombres o divinidades menores.

Era hijo de Zeus y de Alcmena, una mujer mortal. Hera, resentida por la presencia de aquel nuevo niño, preparó un plan para vengarse y deshacerse de él: puso en la cuna del niño dos serpientes venenosas. Pero, aunque Hércules no tenía aún más que unas pocas semanas, era ya bastante fuerte. Agarró a las dos serpientes y las estranguló.

Hera encajó la derrota, y Hércules se convirtió en un joven con una fuerza física y un valor extraordinarios. El conocido atleta Pólux —cuya historia será narrada más adelante— le enseñó a usar las armas; un hijo de Hermes, a luchar; Éurito, nieto de Apolo, a cazar con el arco y las flechas. También fue instruido en las artes y llegó a tocar la lira con soltura.

Con tal bagaje de conocimientos, se preguntó qué iba a hacer en la vida. Un día, mientras estaba paseando por los alrededores del monte Citerón, se encontró con dos mujeres. Eran Placer y Virtud y ambas se le ofrecieron como elección. Placer le proponía una vida de comodidades y riquezas; Virtud, una vida de trabajo y de lucha, con algún disgusto, pero con la promesa de la gloria al fin. Hércules eligió la segunda y en seguida se puso a buscar una causa justa por la que combatir.

Su primera buena acción fue librar a la ciudad de Tebas de un pesadísimo tributo, que debía pagar a un estado limítrofe. En señal de gratitud, Creonte, rey de Tebas, le ofreció por esposa a su hija Mégara. Hércules y Mégara fueron felices y tuvieron hijos. Pero los disgustos predichos por Virtud empezaron a hacer su aparición. Hera vio la posibilidad de hacer daño a Hércules y lo hizo enloquecer hasta tal punto, que en un acceso del mal mató a su mujer y a sus hijos, pensando que eran enemigos.

Pasó la crisis, y Hércules, abatido por el dolor, se fue a Delfos a consultar al oráculo cómo podría expiar lo que había hecho.

—Ve a la ciudad de Tirinto, donde reina Euristeo —dijo el oráculo—. Durante doce años tendrás que ser su esclavo. Si logras llevar a cabo todas las empresas que te encomiende, serás perdonado y obtendrás la paz.

El primero de los doce trabajos que el rey Euristeo le encomendó debía tener lugar no lejos de Tirinto. En efecto, habían llegado noticias de que los campos de Nemea, cerca de Corinto, hacía tiempo que eran devastados por un león, que cada noche bajaba de las colinas y mataba animales y hombres. Los campesinos de la región estaban aterrorizados y se quedaban en sus casas incluso durante el día.

—Hay que matar y desollar al león —le dijo Euristeo—. Tienes que volver con su piel para demostrar que está muerto realmente. Ten mucho cuidado, porque dicen que no hay arma que pueda atravesar su piel.

Hércules tomó la espada, la lanza, una robusta maza y una red, se lo echó todo al hombro y partió. Dos días después, habiendo sabido por un pastor que el león se escondía en una gruta de la montaña cerca de allí, se dirigió hacia ella. Pronto amanecería y Hércules se escondió detrás de unos arbustos a la entrada de la caverna, en espera de que el león volviera de su cacería nocturna. Lo vio avanzar despacio, pasar furtivamente de arbusto en arbusto con las quijadas chorreando sangre.

Impávido, Hércules se plantó delante de él y, cuando alzó la lanza, el león se detuvo. Silbó el arma en el aire y el león dio un salto. Hércules había apuntado bien, pero la lanza se dobló lastimosamente contra el pecho del animal. Intentó entonces clavarle la espada en un costado, pero no obtuvo un resultado distinto del que habría obtenido si la hubiese clavado en una dura roca. Rugiendo, el león se dio la vuelta y atacó también. Hércules tiró la espada al suelo y empezó a manejar la maza con todas sus fuerzas. El animal apretó las mandíbulas y se tambaleó bajo los golpes; luego, cuando Hércules empezaba a adquirir ventaja, huyó a la cueva.

Hércules se dio cuenta de que no le serviría ninguna arma y decidió recurrir a la astucia. Tapó con la red la entrada de la cueva y se deslizó al interior a través de otra abertura que había en la roca. Atrapada en aquel estrecho espacio, la fiera retrocedió hasta la red rugiendo amenazadoramente. Veloz como el relámpago, Hércules se echó encima de ella y consiguió ahogarla apretando fuertemente con sus manos formidables.

Se detuvo un instante, preguntándose cómo haría para desollar al león si no había cuchillo que pudiese hacer un corte en su piel, cuando le vino una idea. Arrancó una de las corvas mandíbulas del animal y se sirvió de ella como de una hoz para cortarle la piel ; luego se la enrolló al cuerpo y volvió a Tirinto.

Lerna, a pocos kilómetros de Argos, era un lugar desolado. Un río lo atravesaba anegando de charcas ambos lados. En aquellos pantanos tenía su morada la Hidra, un monstruo con nueve cabezas de serpiente que mataba a todo el que pasaba por allí. Muchos cazadores y guerreros habían intentado perseguirla para matarla, pero en vano. Se decía que, cuando le cortaban una cabeza, al instante le crecía otra en el mismo sitio, de modo que el monstruo conservaba siempre toda su fuerza. Además una de sus cabezas era inmortal. La segunda empresa que el rey Euristeo encomendó a Hércules fue contra la Hidra de Lerna.

Vestido con la piel del león de Nemea, Hércules se dirigió con el carro —guiado por un joven llamado Iolao— hacia los pantanos. Soplaba el viento sobre aquella tierra desnuda, doblando las altas cañas peladas; los pájaros se llamaban a lo lejos. La Hidra tardaba en aparecer y el héroe intentó hacerla salir de la madriguera, lanzando al pantano flechas encendidas. De pronto, un fuerte silbido cubrió los gritos de las gaviotas, y el monstruo de las nueve cabezas salió contorsionándose: culebrearon sus rápidas lenguas bífidas, mientras sus ojos relampagueaban de maldad.

Hércules avanzó e hirió al monstruo: una de sus cabezas voló por los aires, pero instantáneamente otra empezó a crecer en su lugar. Golpeó una y otra vez. Dos cabezas más se desprendieron, pero otras dos vinieron a sustituirlas. La Hidra se vengó enroscándose en las piernas de Hércules. Él siguió luchando, pero no veía cómo podría vencer a semejante enemigo.

Solo junto al carro, Iolao estaba mirando, pero no era el único. Desde lo alto Hera observaba también la terrible lucha.

—Mucho tiempo he esperado para poder vengarme de Zeus. Ahora su hijo perecerá a mis manos.

Con estas palabras hizo salir de las aguas cenagosas dos enormes cangrejos gigantes que empezaron a avanzar hacia el lugar del combate. Sus pinzas se cerraron en torno a los tobillos del héroe. La presión habría despedazado los huesos de cualquiera, pero no los de Hércules, que logró rechazarlos y aplastar con el pie su robusto caparazón, partiéndolo en dos.

Hércules empezaba a cansarse y llamó en su

ayuda a Iolao. El joven encendió una antorcha y, en cuanto Hércules hacía rodar una cabeza, quemaba rápidamente el muñón para que la cabeza no pudiese resurgir. Poco a poco la Hidra comenzó a debilitarse. De un último tajo poderoso el héroe le cercenó también la cabeza inmortal: estando como estaba estrechamente emparentado con un dios, Hércules podía destruir a un inmortal. Finalmente sumergió en la sangre de la Hidra la punta de sus flechas, para darles un poder más mortífero contra sus futuros enemigos.

El tercer trabajo de Hércules le exigió menos fuerza y valor, pero puso a prueba su paciencia y su habilidad como cazador. Tenía que capturar viva a la cierva de Cerinía y llevarla a Tirinto.

Se decía que aquella cierva se le había escapado a Ártemis —que la quería por sus cuernos de oro—, cuando mandó a sus perros a buscar dos ciervas para su carro. Después de haber logrado huir, se había refugiado en las colinas de la Arcadia septentrional.

Hércules la siguió día y noche; anduvo tras ella de la primavera al verano y del otoño al invierno. Al principio pareció que su velocidad y su astucia la librarían de Hércules como la habían librado de Ártemis. Pero cuando las flores de la primavera volvieron a abrirse, la cierva comenzó a cansarse. Había corrido durante kilómetros y kilómetros a través de llanuras y montañas escarpadas, y su cazador seguía persiguiéndola. Estaba tan exhausta, que una noche se adormeció, y cuando quiso despertarse ya era de día. Hércules la descubrió y avanzando lentamente la aprisionó en su red. Así consiguió cogerla viva como había pedido Euristeo.

—Has hecho un buen trabajo —le dijo el rey—, pero tengo otra empresa que encomendarte en cuanto hayas descansado.

—No necesito descanso —dijo Hércules—; lo de la cierva no ha sido más que un simple paseo. Estoy preparado para partir.

—Muy bien —respondió el rey—. Pero hay que capturar vivo al jabalí del río Erimanto y no es cosa de subestimar.

—¿Y qué es eso? —preguntó Hércules, que, como había estado lejos tanto tiempo, no estaba al corriente de los últimos acontecimientos.

—Han llegado noticias de una comarca de las fronteras de Arcadia, por donde corre el Erimanto, de que un jabalí salvaje de dimensio-

nes colosales ha reducido toda la provincia a un estado de terror. Dicen que tiene los colmillos tan largos como el brazo de un hombre y que no teme a nadie. Y hay que capturarlo vivo, como a la cierva de Cerinía.

A la mañana siguiente Hércules se puso en camino, y tras cinco días de viaje llegó al río. No tuvo necesidad de preguntar dónde podía estar el jabalí, porque había nevado y sus huellas estaban bien claras en la nieve. Las pisadas de sus pezuñas hendidas se habían hecho tan amplias, que Hércules empuñó la espada y miró en torno suyo con cautela.

Pronto oyó un ruido y un fuerte rebudio que procedían de detrás de unos matorrales. Se detuvo y permaneció en silencio. A un lado de los matorrales la nieve estaba más alta: en efecto, la tempestad la había amontonado en una concavidad. Hércules se movió con precaución hacia la parte opuesta y, rodeando los matorrales, espantó al jabalí, que apenas oyó su grito salvaje, presa del pánico, huyó hacia su madriguera: pero quedó atrapado en el montón de nieve. Para Hércules fue cosa de un minuto: lo inmovilizó en su red y lo ató fuertemente. Luego se lo echó a los hombros y emprendió el camino de vuelta.

Al rey no le hizo mucha gracia cuando se enteró de que Hércules había capturado al jabalí con tanta facilidad. Las empresas que le había encomendado hasta entonces eran consideradas prácticamente imposibles, y antes de decidirse por la siguiente lo pensó largo rato. Al fin tomó una decisión: tendría que limpiar en un solo día los establos del rey Augías. Durante una reciente visita a aquel rey, Euristeo había visto que los establos estaban sumergidos en el estiércol del ganado. El mal olor se extendía desde los establos por toda la provincia de la Élide, donde gobernaba Augías, pero era excesivamente vago para poner remedio. Cuando Hércules se presentó y le comunicó la orden de Euristeo, Augías no puso ninguna objeción, aunque se echó a reír ante la idea de que tal trabajo pudiera hacerse en un solo día.

—Se necesitará una hora por cada carga. Y de aquí saldrán cientos, miles de cargas. No creo que un día tenga tantas horas...

Hércules sonrió. Sabía que el río Alfeo corría por allí y se le ocurrió un plan. Construyó un dique y desvió el curso del río, de modo que sus aguas entraron en los establos y cortes, llevándose por delante toda la porquería.

—Ahora no tienes más que quitar la tierra del dique para que el río vuelva a su curso habitual —dijo Hércules a Augías con una expresión de victoria en el rostro. Luego volvió a Tirinto para enterarse de cuál sería su próximo trabajo.

El rey le dijo que muchos de los más experimentados arqueros habían regresado de vacío tras una inútil caza emprendida contra ciertos pájaros que anidaban en el lago Estinfalo, a los pies del monte Cilene, donde había nacido Hércules. Aquellos pájaros vivían en las charcas que bordeaban el lago. Parecidos a cigüeñas, tenían el pico y las garras de bronce y dejaban caer a su antojo las plumas metálicas sobre la cabeza de los que pasaban por aquellos parajes; luego se les echaban encima y devoraban su cuerpo.

A causa del terreno pantanoso era casi imposible aproximarse. Además parecía que se daban cuenta de si un hombre iba armado o no. Si no lo estaba, lo atacaban; en caso contrario, huían. Euristeo dijo a Hércules que de un modo u otro había que alejar a aquellos pájaros de allí.

Armado con su arco y con sus flechas, Hércules intentó en principio acercarse a escondidas, según el estilo tradicional, abriéndose paso

entre las cañas. Pero el terreno blando cedía cada vez más bajo su peso, y se veía obligado a retroceder. A lo lejos logró ver a los pájaros, que se movían sobre sus patas como si llevaran zancos, sin preocuparse en absoluto de la presencia de un intruso.

A lo largo de los años de sus trabajos, Hércules se había encontrado a veces con algún dios que le había ayudado con su apoyo a sus consejos. Sucedió que en aquel tiempo pasó Atenea por aquellos lugares y llegó al monte Cilene, mientras Hércules estaba allí. El héroe le contó su problema y la diosa le regaló un par de castañuelas de bronce que le había dado Hefesto.

—Haz con ellas un ruido parecido al de una selva ardiendo —le dijo.

Hércules tenía sus dudas de que aquello fuera eficaz contra los pájaros, pero, no sabiendo qué otra cosa idear, decidió probar fortuna. Subió a la montaña hasta que vio todo el lago debajo de él. Levantó las castañuelas por encima de su cabeza y empezó a tocarlas. Los pájaros, espantados, levantaron el vuelo y se dirigieron hacia él emitiendo gritos agudos. Por un instante Hércules pensó que querían atacarlo y comenzó a disparar flechas al aire. Un buen número de pájaros cayó, otros huyeron veloces y fue imposible verlos. No volvieron por la noche ni al día siguiente, y entonces Hércules regresó a Tirinto.

La prueba siguiente consistía en capturar un enorme toro furioso que echaba fuego por las narices y corría libre por la isla de Creta, destruyendo las cosechas y acorneando a la gente. Se decía que había engendrado al monstruoso Minotauro, mitad hombre y mitad toro, que estaba preso en la misma isla. Tarea del héroe era capturarlo y llevarlo a Tirinto.

Así pues, Hércules se puso en camino hacia Creta, donde fue acogido por el rey Minos en la ciudad de Cnosos.

—Si necesitas ayuda, no tienes más que pedirla —le dijo el rey Minos—. Todo lo que pidas se te proporcionará inmediatamente.

Hércules sabía que el toro, por más espantoso y robusto que pudiera ser, carecía de poderes mágicos, y pensó que con su propia fuerza y habilidad le bastaría, siempre que lograra evitar el fuego que despedía por las narices. No tuvo dificultad en encontrar al toro fuera de las murallas de la ciudad, y en cuanto empezó a embestir, Hércules se apartó a un lado, le saltó

a los lomos y, agarrándolo de los cuernos, lo sujetó, se lo echó a los hombros y lo condujo hacia la nave, que estaba anclada en el puerto de la ciudad.

Minos lo despidió con gratitud, y Hércules zarpó para Nauplia, el puerto más próximo a Tirinto. Nada más llegar entregó el toro al rey Euristeo, el cual imprudentemente volvió a dejarlo en libertad. En el transcurso de los años el toro anduvo errabundo hacia el norte y atravesó el istmo que en Corinto une la parte septentrional y meridional de Grecia. Al fin se estableció en las llanuras de Maratón, en las costas próximas a Atenas, donde comenzó un nuevo reinado de terror, hasta que otro héroe, Teseo, lo aniquiló definitivamente.

Entre tanto ya Hércules había salido de Nauplia rumbo a su octava aventura. Viajó por mar hacia el norte, a la lejana Tracia, una tierra gobernada por el cruel rey Diomedes. El viaje duró varios días, unos con buen tiempo, otros con violentas tempestades. La nave atravesó el mar Egeo y llegó al puerto de Abdera. Desde allí Hércules llegó por tierra a la capital, Tirida.

Diomedes era hospitalario, pero Hércules prestaba mucha atención porque Euristeo lo había puesto en guardia. El rey de Tracia era un bravo guerrero, pero salvaje y cruel sobremanera: alimentaba a las yeguas que tiraban de su carro con la carne de los vencidos en batalla. Cuando no estaba en guerra, había resuelto el problema mandando a sus guardias que mataran a los huéspedes del palacio. Luego sus cuerpos iban a parar a los pesebres de los establos reales, donde las yeguas se los comían con avidez. Hércules tenía que apoderarse de las yeguas y llevarlas a Tirinto. Pero antes de nada, sin embargo, tenía que evitar la suerte fatal de los otros huéspedes de Diomedes.

Decidió no perder tiempo y poner en seguida manos a la obra, antes de que Diomedes pudiera sospechar el objetivo de su visita. La primera noche se acostó en seguida, pero yacía sin dormir y con la mano en la espada. Las horas iban pasando lentamente y nadie venía a molestarlo. Se levantó antes del alba y se deslizó en silencio fuera de la estancia. A través de un largo pasillo se dirigió hacia una salita lateral que sabía vigilada por un solo centinela.

El hombre estaba dormitando y Hércules consiguió dominarlo antes de que pudiera gritar. Luego corrió furtivamente hacia los esta-

blos: los mozos de cuadra estaban también semidormidos y los fue golpeando uno por uno hasta que todos quedaron tendidos en el suelo y sin sentido. Hasta ahora todo había salido bien, pero sabía que tenía que afrontar aún la parte más dura y peligrosa de la empresa.

Las cuatro yeguas estaban atadas con cadenas de hierro, cadenas que era preciso romper para dejar a las bestias libres. Hércules notaba que las yeguas se movían impacientes: advertían una presencia extraña.

Sabía que con sus propias fuerzas lograría romper aquellas cadenas, pero para hacerlo tendría que aproximarse a las yeguas con peligro de que lo despedazaran o lo golpearan mortalmente con sus cascos. Tenía que encontrar un medio para mantenerse fuera del alcance de sus quijadas y de sus cascos. Miró a su alrededor y, a la luz indecisa del amanecer, vio un hacha de leñador: era justo lo que le hacía falta.

Las cadenas estaban sujetas a unos ganchos fijados en un soporte de madera de encina. Hércules empuñó la herramienta y golpeó.

El primer gancho, liberado de la madera, saltó. Las yeguas se encabritaron y se abalanzaron hacia adelante, pero, antes de que se dieran cuenta de lo que sucedía, Hércules había golpeado ya el segundo gancho, y luego el tercero y el cuarto. Las yeguas, viéndose libres, se agitaron desordenadamente en el espacio cerrado del establo, arrastrando las cadenas. Fue cosa de un instante: hallaron la puerta y salieron con un pataleo tan fuerte como para despertar a los muertos.

Como era natural, despertaron a Diomedes y sus guardias, que fueron corriendo hacia los establos, justo mientras Hércules intentaba perseguir a las yeguas para empujarlas hacia un pequeño cerro. Un estrecho brazo de mar bañaba aquella elevación por tres lados, y Hércules abrió un canal de modo que el agua pudiese correr todo alrededor, impidiendo así el paso a los perseguidores. Cuando éstos dieron media vuelta para volver atrás, Hércules los persiguió y los fue golpeando uno tras otro con el hacha. También Diomedes fue mortalmente herido y Hércules arrastró su cuerpo hasta las yeguas para que se lo comiesen. Su hambre pareció aplacarse y se volvieron lo suficientemente dóciles como para que Hércules lograse atar sus mandíbulas con fuertes cuerdas y llevarlas a la nave para regresar a Tirinto.

Como noveno trabajo Hércules debía llevar a Euristeo el cinturón de Hipólita, reina de las Amazonas, que vivía en las orillas del Mar Negro. Una vez más el viaje fue largo, pero al fin Hércules llegó sano y salvo. Al principio Hipólita le ofreció el cinturón como prueba de su estimación, y todo parecía resuelto. Pero luego Hera se decidió a intervenir: hizo correr la voz de que el verdadero objetivo de Hércules era raptar a la reina. Alarmadas las Amazonas, echaron mano a las armas. Hércules se vio obligado a defenderse, y durante un combate mató a la misma Hipólita. Disgustado por todo lo que había sucedido, tomó al fin el cinturón y zarpó para Nauplia.

No había desembarcado aún, cuando ya el rey le estaba encomendando la décima empre-sa: robar los bueyes del rey Gerión en Tartessos, en la Península Ibérica. Era Gerión un personaje espantoso: de la cintura le salían tres cuerpos, cada uno con su cabeza y sus brazos. Para llegar a España, Hércules le pidió prestada a Helio la barquita de oro que usaba cada noche para volver a su palacio de oriente. Al pasar por el estrecho que separa España de Africa, Hércules plantó una columna a cada lado del estrecho para demostrar que había pasado por allí. Aún hoy se conocen como las columnas de Hércules. Luego siguió por tierra hasta Tartessos, donde Gerión llevaba a pastar sus bueyes en una colina, bajo la vigilancia del vaquero Euritión y el terrible perro de dos cabezas Orto.

Hércules mató con una flecha al perro y con

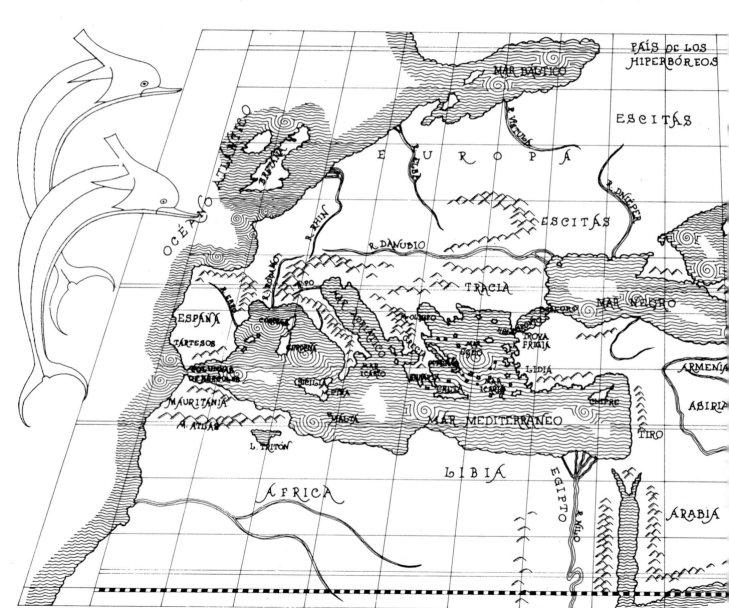

otra a Euritión, pero, mientras estaba llevándose los bueyes, apareció Gerión y comenzó a perseguirlo. Entonces se escondió detrás de una roca y, cuando vio a Gerión de perfil, disparó una flecha que consiguió herir simultáneamente a los tres cuerpos y el monstruo cayó muerto al suelo.

Seguido por los bueyes, Hércules volvió a Grecia, donde ya le esperaba otra tarea.

—Ahora tienes que traerme las manzanas de oro del árbol de las Hespérides —le dijo Euristeo—. El árbol está en un jardín en la falda del monte Atlas, en la provincia de Mauritania, más allá del mar líbico.

Hércules sabía que el manzano era un regalo de bodas que habían hecho a Hera y que estaba custodiado por un terrible dragón. Desafiar a la diosa era un gran riesgo, pero Hércules pensaba que, en caso de necesidad, siempre podía pedir ayuda a Atlas. El Titán seguía allí sosteniendo la bóveda del cielo.

—Mis hijas se sentirán felices de coger las manzanas para ti. Si puedes ponerte un ratito en mi lugar, iré a buscarlas.

Así que Hércules cargó con el peso, pero Atlas volvió casi al instante con dos muchachas y un cesto lleno de las preciosas manzanas. Hércules estaba impaciente por marcharse, pero Atlas parecía encontrarse muy a gusto con su recobrada libertad.

—Espera un poco más, y luego podrás irte —le dijo, aunque estaba claro que sus intenciones eran muy distintas.

Entonces Hércules le tendió una trampa, di-

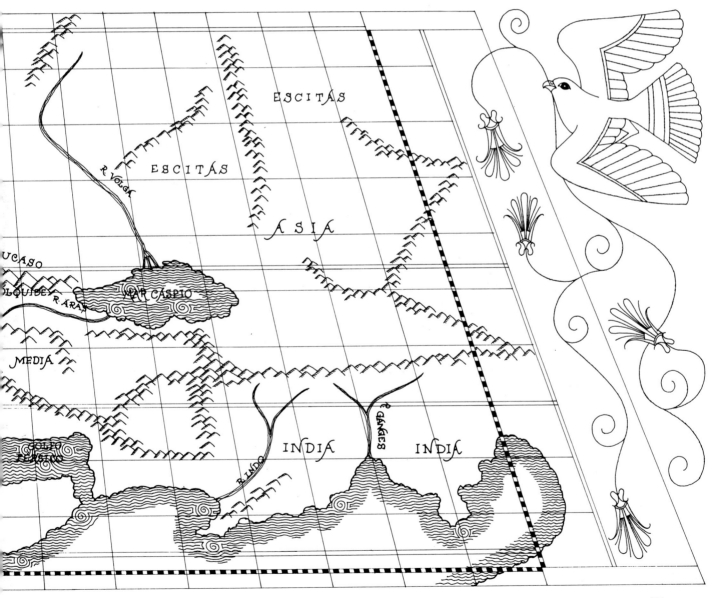

ciéndole que el peso no estaba bien equilibrado y que quería colocárselo mejor. El Titán se acercó para ayudarlo, momento que aprovechó Hércules para pasarle el fardo.

El duodécimo trabajo de Hércules consistía en bajar al mundo de ultratumba y llevar a Cerbero hasta Tirinto. El dios Hermes lo guió y lo escoltó durante la travesía de la Estige. Por deseo del rey y de la reina del Hades, Cerbero no podía ser vencido con las armas: en efecto, estaban seguros de que no era posible capturarlo de otro modo y de que así no dejaría el Hades. Entonces Hércules recurrió a la piel del león de Nemea: la arrojó sobre Cerbero, reduciéndolo a la impotencia; lo sujetó estrechamente entre sus brazos, justo el tiempo de mostrárselo a Euristeo, y luego lo devolvió al reino de los muertos.

Los doce trabajos habían terminado: la culpa estaba borrada.

La ausencia de Hércules durante su descenso al Hades ha sido rememorada en varias tragedias. En *Hércules loco*, Séneca hace un recuento de sus hazañas y se lamenta, por boca de Anfitrión, del desamparo de los mortales:

«... El final de un sufrimiento es un paso adelante de otro que se avecina; aún no ha regresado y ya se le prepara un nuevo enemigo; antes de llegar a su casa, que se llena de alegría, marcha, obedeciendo órdenes, a una nueva guerra y no hay reposo alguno de tregua más que para recibir otra orden. Le acosa Juno, en contra de él ya desde el primer día: ¿es que acaso sus años de niño se vieron libres de esa pesadilla? Monstruos venció antes de poder conocerlos.

Un par de reptiles avanzaban con sus encrestadas cabezas; hacia su encuentro gateaba el recién nacido fijando su mirada confiada y apacible en los ojos de fuego de las serpientes; con rostro sereno aguantó los apretados nudos y, aplastando con su tierna mano las gargantas hinchadas, se entrenó para la hidra.

La veloz fiera del Ménalo, que erguía su cabeza profusamente adornada de oro, fue capturada a la carrera. El temor más espantoso de Nemea, el león, gimió estrujado por los brazos de Hércules.

¿Y a qué recordar el espantoso establo del rebaño bistonio y al rey entregado como pasto a su propio ganado y el jabalí menalio de pelo erizado, acostumbrado a asolar los bosques arcadios en las espesas cumbres del Erimanto, y el toro, miedo nada liviano para cien pueblos?

Entre los remotos rebaños del pueblo hesperio, el pastor de tres cuerpos de la costa tartesia fue matado; fue traído el botín desde los confines de Occidente y el ganado familiarizado con el Océano pastó en el Citerón.

Cuando se le mandó que penetrara en las regiones del sol estival y en los tostados reinos que abrasa el mediodía, desunió las montañas dejándolas a uno y otro lado, y rota esta barrera abrió un ancho camino por donde se precipitó el Océano.

Arremetiendo después de todo esto contra el recinto del opulento bosque, se trajo el dorado botín del dragón insomne.

¿Y qué? A los terribles monstruos de Lerna, múltiple calamidad, ¿no logró vencerlos con el fuego e hizo que aprendieran a morir? Y a las Estinfálides, que solían ocultar el día desplegando sus alas, ¿no les dio alcance derribándolas de las propias nubes?

No lo venció la del lecho siembre célibe, la reina sin esposo del pueblo del Termodonte, y sus manos audaces para cualquier noble hazaña no rehuyeron el inmundo trabajo del establo de Augías.

¿De qué sirve todo eso? Se encuentra privado del mundo que él defendió. Las tierras han experimentado con tristeza la ausencia de aquel que les procuró la paz: al crimen que prospera con éxito se le llama virtud; a los culpables obedecen los buenos; el derecho está en las armas, y ahoga a las leyes el temor.

Ante mis propios ojos he visto caer a manos asesinas a unos hijos que eran defensores del reino paterno; y al propio padre, último retoño del noble Cadmo, le he visto sucumbir; vi arrebatarle los atributos reales de la cabeza junto con la cabeza [...].

¡Acude ya, regresa sano y salvo, te lo suplico; ven de una vez vencedor a tu hogar vencido!»

Las aventuras de Perseo

En la Argólide, un reino situado sobre las costas de Grecia al este de la Arcadia, reinaba el rey Acrisio. El mar de Egina bañaba sus costas nororientales, y tanto Tirinto como Micenas estaban en sus confines.

El rey Acrisio se puso muy contento cuando su mujer dio a luz una niña realmente espléndida, Dánae, y fue a un oráculo para saber cuál sería su futuro. El oráculo le predijo que un día, todavía lejano, perecería a manos del hijo de su hija.

Para evitar que las palabras del oráculo se cumplieran, Acrisio decidió que su hija no se casaría. En cuanto creció, la encerró en una alta torre de bronce, vigilada estrechamente por guardias. A nadie le era permitido ver el bellísimo rostro de la princesa, nadie podía acercarse a ella. Las precauciones del rey fueron muy eficaces, pero de todos modos la torre no representaba un obstáculo para los dioses. Una noche Zeus, en forma de lluvia de oro, fue en secreto a hacerle una visita. Los guardias no se dieron cuenta de nada. Lo único que notaron fue un insólito rayo de luna sobre la torre, y el viento que soplaba más fuerte entre los árboles.

Fue así como Dánae tuvo un hijo llamado Perseo. Acrisio estaba furioso, porque vio en él al hijo de que le había hablado el oráculo. Dado que no podía matarlo directamente, imaginó un plan que tuviera el mismo resultado sin cargar él con la responsabilidad directa. Llamó a su hija, que vino con el pequeño.

—Una hija que me ha engañado ya no puede ser bien recibida en mi casa —le dijo.

—El niño es tan pequeño —suplicó la hija—, y él no tiene la culpa de haber nacido. Arrójame de casa si quieres, pero permíteme que deje a Perseo en un lugar donde pueda ser criado adecuadamente.

Acrisio no respondió, pero se alejó de ella, porque aquellas palabras lo habían conmovido. Pero sabía que si quería salvar su vida tenía que ser resuelto, e hizo una seña a sus criados para que ejecutaran sus órdenes. La princesa y el recién nacido fueron llevados al mar y, encerrándolos en un arca de madera, los dejaron a la deriva. Sin agua y sin alimento no tenían esperanzas de sobrevivir mucho tiempo.

Pero una vez más el plan de Acrisio no funcionó según sus intenciones. El arca fue transportada por las olas a la isla de Serifos, donde Dictis, hermano del rey de la isla, Polidectes, acogió a la madre y al hijo.

Perseo fue creciendo. Sólo una cosa lo hacía infeliz: el rey Polidectes quería casarse con su madre. La misma Dánae no lo deseaba, y el joven se puso de su parte. Polidectes pensó en librarse de Perseo, seguro de que después podría convencer a la madre con más facilidad.

—Tengo que pedirte una cosa —le dijo con expresión amistosa—. Todos los jóvenes desean un desafío que demuestre su virilidad. La gente murmura que pasas demasiado tiempo en compañía de tu madre y de las otras mujeres y que no eres muy valiente. Yo sé que no es verdad, pero quisiera darte la posibilidad de demostrárselo a los otros.

Nada de todo aquello era verdad, pero Perseo creyó aquellas palabras.

—Si murmuran eso, dime qué tengo que hacer.

—Si matases a la Medusa y trajeras aquí su cabeza, demostrarías que no hay cosa que te asuste.

Cuando oyó esto, Perseo no se sintió muy animado que digamos, pero intentó no dejar traslucir sus verdaderos sentimientos. La Medusa era la más terrible de las Górgonas, monstruos que habitan en el extremo septentrional, con garras y colmillos más mortíferos que los de un feroz león y con la cabeza cubierta de una maraña de serpientes venenosas. El que la miraba al rostro quedaba inmediatamente petrificado. Pero Perseo no podía rechazar el desafío, porque estaba en juego su reputación.

—Iré y te traeré la cabeza del mostruo.

Zeus los estaba observando desde lo alto. Se sintió orgulloso de su hijo y llamó a los otros dioses para que lo ayudasen. Hades le regaló un yelmo que lo hacía invisible, y Hermes unas sandalias aladas para caminar veloz. Pero el mejor regalo fue el de Atenea, aunque de momento no se viera claramente su utilidad: le dio un escudo tan bruñido y sutil, que parecía la superficie de un espejo.

—Cuando llegues, no mires a la Medusa más que cuando se refleje en el escudo, porque si la miras directamente te convertirás en piedra.

La Medusa era la única de las tres Górgonas que podía morir; las otras dos eran inmortales. Su tierra estaba lejos, en el extremo norte, en un lugar en donde el sol salía y se ponía sólo una vez al año. Perseo se puso las sandalias aladas de Hermes y recorrió kilómetros y kilóme-

tros. Mientras recorría el último trecho de su viaje, pudo observar cada vez con más frecuencia que a los lados del camino había imágenes de hombres petrificados.

En el pueblo le habían dicho que la Medusa vivía no muy lejos de allí, en una pequeña cuenca rodeada de otras tristes figuras convertidas en piedra. Nadie se acercaba a aquellos parajes, y los que se habían aventurado no habían vuelto jamás.

Perseo se armó de una hoz afilada y empezó a recorrer el breve camino que le quedaba para llegar hasta la Medusa. Pronto se abrió un espacio delante de él, donde llegó a contar unas veinte figuras petrificadas: el monstruo debía de estar detrás de aquellas rocas.

Tomó el escudo, regalo de Atenea, y volviendo la espalda empezó a andar hacia atrás, paso a paso: las imágenes que se reflejaban en aquella especie de espejo le servían de guía.

Siguió avanzando con cautela. De pronto tropezó sin querer en una piedra, que fue rodando contra una roca.

Fue la señal. Un ruido indefinible, mezcla de rugidos y silbidos, llenó el aire. En la superficie del escudo vio Perseo al monstruo en todo su peligro: la boca desmesuradamente abierta, los ojos llameantes. Se detuvo, y también la Medusa pareció deternerse unos instantes, maravillada sin duda de que el hombre que estaba ante ella no se hubiera transformado inmediatamente en piedra. Luego comenzó a moverse, mientras las serpientes de su cabeza despedían horrendos silbidos.

Con el corazón latiéndole fuertemente, Perseo esperó: estaba ligeramente encorvado, con las piernas abiertas y la hoz dispuesta a golpear. En aquel momento notó el calor de la respiración del monstruo en su hombro. El escudo reflejaba tan sólo la boca y sus enormes dientes. Estaba allí, al alcance de la mano. No tenía más que levantar el brazo y golpear con la afilada hoz. Fue cosa de un instante. Fija siempre en el escudo la mirada, ¡asestó un tajo con todas sus fuerzas! Se oyó un grito sobrehumano que pareció sacudir la tierra, y luego todo volvió a quedar inmóvil.

También Perseo se quedó inmóvil largo rato. Sabía que la Medusa conservaba el poder de petrificar incluso después de muerta. Luego miró otra vez en el espejo: el horrible monstruo yacía en el suelo con su repugnante cabeza separada del cuerpo.

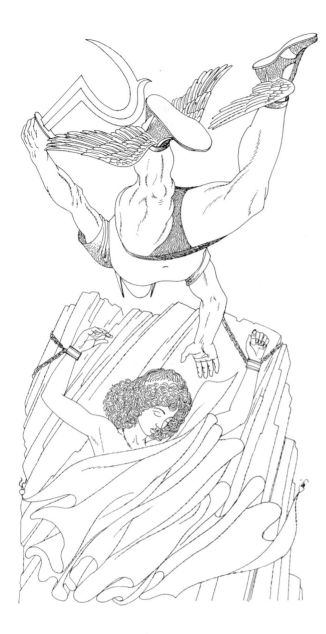

Aquella era la prueba que el joven Perseo debía de llevar al rey Polidectes, para manifestar ante él y ante las gentes de su reino que era valiente, que no tenía miedo a nada, que el haber vivido mucho tiempo con su madre no le había perjudicado.

Guardó la cabeza en una alforja que había llevado consigo, y se la echó al hombro, dispuesto para el viaje de regreso. Los habitantes del lugar, al saber la noticia de su hazaña, se pusieron a bailar por las calles y a celebrarlo.

Para atravesar el mar se puso otra vez las sandalias aladas de Hermes y se mantuvo próximo a la costa para no equivocar el camino. Había recorrido ya muchos kilómetros, cuando en una roca que afloraba sobre la superficie de las aguas vio una figura diminuta.

Era una bellísima muchacha de cabellos morenos, que estaba encadenada a la roca por las muñecas y los tobillos. No llevaba nada encima, salvo una cadenita con joyas al cuello. Perseo la cubrió con su capa, y mientras intentaba librarla ella le contó su historia.

Era Andrómeda, hija de Cefeo, rey de Etiopía. Su madre se había atrevido a jactarse de su belleza y de la de sus hijas, asegurando que era superior a la de las nereidas, que vivían en las profundidades del mar y eran consideradas las más bellas de todas las criaturas.

Roídas por la envidia, fueron a quejarse a su señor, Posidón, el cual hizo desencadenar una horrible tempestad: olas altísimas inundaron la tierra de Cefeo. Los habitantes no pudieron huir hacia el interior, porque la zona estaba rodeada de montañas, ni pudieron hacerse a la mar, porque un monstruo marino controlaba aquella parte de la costa.

Desesperado, el rey consultó a un oráculo para saber qué podía hacer para salvar a su reino.

—Tu hija Andrómeda tiene que ser sacrificada al monstruo —dijo—. Es la única forma de aplacar la cólera de Posidón.

—¡Nunca! —exclamo Cefeo, palideciendo de horror—. No permitiré una cosa así. Prefiero perder el reino antes que a mi hija.

Pero, cuando habló el oráculo, Cefeo no estaba solo. Sus cortesanos conocían el cariño que sentía por su hija, pero pensaban que no por ello era más importante que el resto de sus súbditos.

—No es justo sacrificar a tantas personas por amor a una sola —le dijeron—. Lo sentimos por Andrómeda, porque es buena y amable, pero tiene que morir para salvar a nuestra gente.

Con el corazón despedazado de dolor, Cefeo tuvo que ceder, y la joven fue encadenada desnuda a la roca en espera de su espantosa muerte.

Al llegar a este punto del relato, Andrómeda empezó a llorar, pero Perseo no tuvo tiempo de consolarla. Por encima de las olas acababa de surgir la cabeza de un monstruo enorme; con los ojos encendidos, el cuerpo parecido al de una serpiente, grueso como el tronco de un árbol, estaba avanzando hacia ellos.

Perseo alzó el vuelo, y el monstruo, imaginando un ataque desde arriba, levantó los ojos hacia el cielo. En aquel momento se abrieron las nubes en el cielo, dejando pasar un intenso rayo de sol. Aquello le dio al joven una idea: podía caer sobre el monstruo mientras estaba cegado por la luz. Y ya iba a bajar, cuando sucedió algo que le hizo cambiar de plan.

El sol proyectaba su sombra sobre el agua, y el monstruo, sin comprender el rápido movimiento, pensó que por el flanco lo atacaba un nuevo enemigo. Se volvió un instante, y aquello fue fatal para él, porque Perseo descendió como un relámpago y lo hirió de muerte con la hoz. El animal mugió una vez más de un modo tremendo, se debatió en un remolino de espuma ensangrentada, enarcó su enorme dorso, se sumergió en el abismo y desapareció.

Mientras volvía a la roca, el joven vio una nave que desde el puerto venía directa hacia ellos: era el rey, que iba a recoger a su hija.

Ovidio cantó la lucha de Perseo con el monstruo en el libro IV de las *Metamorfosis*:

«Como la nave agitada fuertemente por los remeros, que sudan con el trabajo, surca las ondas cubriéndolas de espuma, así venía cortándolas con su pecho el monstruo marino. Distaba ya del peñasco un tiro de piedra disparada por honda mallorquina, cuando el joven, estribando el pie en la tierra, se elevó rápidamente en el aire, y apenas vio el monstruo retratada en las aguas su sombra, cuando se lanza a ella con toda su fuerza y, así como el águila cuando con el sol descubre al dragón en campo raso, vuelto de espalda al sol, se arroja sobre él ligeramente, y recelosa de que la muerda si vuelve la cabeza, hace presa con sus garras en la escamosa cerviz, así se deja caer Perseo, volando sobre el monstruo, y le introduce por la espalda derecha el acero hasta la empuñadura. Sintiéndose herida la fiera, ya se levanta sobre las aguas, ya se sumerge en ellas, ya finalmente se vuelve y se revuelve con ferocidad como un jabalí acosado por una manada de perros. Pero el joven, al paso que con la ligereza de sus alas evita las heridas de sus rabiosos dientes, insiste, hiriéndola con su alfanje, unas veces en el costado, otras en donde no podían defenderle las conchas, y otras, en fin, en la parte que a manera de pez acaba en una delgada cola. Vomitaba la fiera agua teñida en sangre, rociando con ella las ya pesadas alas de Perseo, el cual, temiendo no poderse sostener en ellas, vio un peñón, cuya cima deja descubierta el mar cuando está en calma, pero la cubre cuando se embravece, y asiéndose de él con la mano izquierda, le introdujo muchas veces con la derecha el hierro por el vientre. Fue entonces cuando los ecos de aplauso y alegría resonaron en la playa y llegaron hasta las encumbradas mansiones de los dioses. Casíope y Cefeo, llenos de gozo, saludan a su yerno, confesando que había sido su libertador y el amparo de su casa.»

Perseo se había enamorado de la bellísima joven, y también Andrómeda se sentía atraída por él. El rey permitió de buen grado la boda y todo el país hizo fiesta. Pero durante el banquete que siguió a la ceremonia sucedió un hecho extraño.

De improviso se abrieron las puertas de la sala, y apareció un hombre rodeado de soldados.

—Quiero a Andrómeda por esposa —tronó—. ¿No me la prometiste a mí? ¡Habla, Cefeo! ¿No es verdad?

Era verdad hasta cierto punto. El hombre que había interrumpido el banquete era Fineo, hermano de Cefeo y tío de Andrómeda, a quien le había sido prometida la joven antes de que fuera enviada al sacrificio. Pero Fineo no había movido un dedo por salvarla, y ahora que la veía libre venía a exigir el cumplimiento de la promesa.

Cuando Perseo vio que no había otro modo de resolver la cuestión más que recurriendo a la fuerza, empezó a luchar él solo contra aquel ejército que se le venía encima. El combate fue largo y sangriento, y Perseo peleó con valor extraordinario. Pero de nada servía el valor donde imperaba el número. Viéndose acosado por una nube de flechas, echó mano de aquella arma infalible que poseía: sacó la terrible cabeza de la Medusa, y Fineo y sus soldados quedaron petrificados al mirarla. Volvió Perseo la cabeza a la alforja, agarró a Andrómeda, y, pasando por entre aquel bosque de estatuas, se dio a la fuga sin que nadie se atreviera a impedírselo.

Durante la huida ambos se detuvieron en Mauritania con la esperanza de ser bien acogidos por el dios Atlas y sus hijas. Pero no llegaron en el momento oportuno. Atlas no se resignaba a la idea de tener que sostener aquel enorme peso por toda la eternidad. A veces le dolían los huesos y pensaba con nostalgia en aquel breve intervalo en que Hércules había cargado con la bóveda celeste en lugar suyo. Estaba realmente de mal humor y dio orden a sus hijas de que no los hospedaran.

No se sabe si fue por piedad o por la rabia de no ser acogido: el caso es que Perseo hizo una cosa horrible. Sacó la cabeza de la Medusa y se la mostró al poderoso Titán. Inmediatamente Atlas se convirtió en piedra.

Perseo y Andrómeda continuaron su viaje, pero sus dificultades no tuvieron fin ni siquiera cuando llegaron a la casa de Perseo. En su ausencia, el rey Polidectes había seguido insistiendo para casarse con Dánae, seguro de que Perseo no regresaría nunca. La mujer había resistido mucho tiempo, pero estaba sola y al fin, no viendo solución posible, consintió. La boda había sido fijada para la mañana misma del día en que llegaron Perseo y Andrómeda. Dánae se preparaba en su casa para la ceremonia y lloraba. Su hijo le echó los brazos al cuello.

—¡Por fin! ¡Por fin mis oraciones han sido escuchadas! No podía creer que fueran inútiles —dijo Dánae.

Luego le habló del matrimonio que era ya inminente. Enfurecido, Perseo tomó la alforja y se encaminó al palacio real, donde el rey estaba preparándose.

Cuando vio entrar al joven en su estancia, Polidectes dio un paso atrás y echó mano a la espada. Perseo comenzó a abrir la alforja, mientras el rey lo miraba sin saber qué hacer.

Le pareció que tenía la posibilidad de atacarlo, cuando Perseo volvió la cabeza para no ver lo que sacaba de la alforja. Los ojos sin vida de la Medusa se clavaron en Polidectes, que, espada en mano, se quedó inmóvil como una de las estatuas de piedra que adornaban el palacio.

Muerto el rey, Perseo confió el trono a Dictis, y la isla se convirtió en un lugar tranquilo y feliz. Sin embargo, aún no se había cumplido la profecía que el oráculo había predicho antes del nacimiento de Perseo, y ahora había llegado el momento.

Vivía Perseo feliz con su mujer Andrómeda. Era joven y le gustaba competir con otros atletas. Era diestro en muchos deportes y estaba reconocido como campeón del país en el lanzamiento de disco.

El atletismo tenía un papel muy importante en la vida de los griegos. Cuando se celebraban los juegos, los equipos llegaban desde muy lejos para tomar parte en ellos. Aunque se llamaban juegos, no eran sino reuniones de atletas que competían unos contra otros en carreras, luchas y lanzamiento de disco y jabalina. Una vez los juegos se celebraron en Argos, y Perseo tomó parte en la competición como atleta del equipo de su país.

Llegó el día. El estadio se encontraba atestado de espectadores. Ondeaban al viento las banderas en sus altos estandartes, la música a ritmo de marcha acompañaba la entrada en la pista de los equipos de todas las ciudades de Grecia. Los atletas se pusieron en fila para saludar a los más ancianos.

El más importante de éstos era Acrisio, quien, en su calidad de rey de aquella parte del país, ocupaba el lugar de honor. El no podía imaginar que su nieto Perseo estuviera entre aquellos jóvenes dispuestos a competir. Pensaba que Dánae y su niño habían perecido en el mar hacía mucho tiempo.

Equipo tras equipo, iban los atletas realizando sus pruebas. Finalmente les tocó a los lanzadores de disco. Estaban colocados a un extremo del campo. La muchedumbre comenzó a excitarlos. El primero en lanzar el disco fue Perseo. Mientras daba vueltas para tomar velocidad, resbaló, perdió el equilibrio, y el pesado disco fue a parar entre los espectadores, golpeando a Acrisio con toda su violencia. La profecía del oráculo se había cumplido: Acrisio había sido muerto por el hijo de su hija.

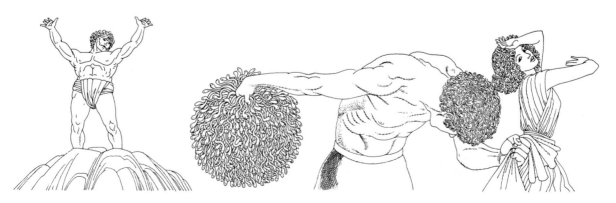

Los gemelos rivales

Cástor y Pólux y sus primos Idas y Linceo eran dos parejas de gemelos. Pero no eran verdaderos gemelos. Aunque Cástor y Pólux nacieron juntos y de la misma madre, tenían padres distintos: Pólux era hijo de Zeus; Cástor, de un rey espartano. Del mismo modo, Idas era hijo de Posidón, mientras que Linceo tenía un padre mortal.

Grandes atletas, Cástor y Pólux se distinguían el primero como auriga y domador de caballos, y como luchador el segundo. Eran conocidos como los Dióscuros, y en los juegos olímpicos cosecharon para Esparta triunfo tras triunfo. También Idas y Linceo llegaron a ser dos diestros luchadores, y los cuatro primos fueron muy amigos durante mucho tiempo. La primera pelea fue a propósito de mujeres.

Idas y Linceo iban a casarse con dos hermanas. La víspera de las bodas Cástor y Pólux, que naturalmente habían sido invitados, salieron a caballo con las dos jóvenes, mientras sus primos estaban tomando las últimas disposiciones para la ceremonia. En un momento determinado agarraron las riendas de los caballos de las jóvenes y galoparon con ellas hasta más allá de las colinas, hacia Esparta. Idas y Linceo se sintieron ofendidos y desde aquel día se convirtieron en sus mortales enemigos.

Poco tiempo después Idas se enamoró de nuevo, y esta vez de una princesa llamada Marpesa. El padre de Marpesa era un hijo de Ares y prestaba una atención particular a los que la cortejaban. Para probar su valor ideó una extraña prueba: los jóvenes debían competir con él en una carrera de bigas. El vencedor podría casarse con Marpesa; el que perdiera sería condenado a muerte. El era un excelente auriga y pensaba que no podían vencerlo. Muchos otros habían tomado parte en el desafío y habían sido vencidos con facilidad. Marpesa empezó a pensar que no se casaría nunca.

Un día se presentó el dios Apolo a tomar parte en el desafío. Tanto Idas como el padre de Marpesa tuvieron miedo, aunque por razones diferentes. El padre sabía que no podría vencer a un dios; Idas sabía que perdería la esposa. Pero antes de que la prueba tuviera lugar, Idas raptó a Marpesa y se la llevó a su casa de Mesania.

Apolo lo persiguió y hubo un terrible duelo. Idas, aun siendo hijo de un dios, no podía igualarse con Apolo, y se salvó sólo porque intervino Zeus tras haber sido llamado por Marpesa. Zeus dispuso que fuera Marpesa quien eligiese el marido, y la princesa, con gran sorpresa de todos, rechazó a Apolo y se casó con Idas.

Había pasado mucho tiempo. Idas y Linceo se habían olvidado ya de la ofensa que les infligieron sus primos, y en una de sus visitas a Esparta fueron a buscarlos para hacer las paces.

—¿Por qué van a interpornerse entre nosotros dos mujeres, estando tan vinculados como estamos? —preguntó Idas.

—¡Volvamos a ser amigos! —dijo Linceo.

Luego empezaron a discutir de cosas serias. Cástor tenía un plan para aumentar la cantidad de ganado que los cuatro poseían. Consistía en saquear los rebaños que pacían en la llanura de la Arcadia al norte de Esparta. Llegaron a un rápido acuerdo y se pusieron en camino. Remontaron el río en una barca, transportando también los caballos, que al llegar a la Arcadia estaban descansados y listos para la incursión.

El trabajo resultó mucho más fácil de lo que habían previsto. Casi nada más desembarcar se toparon con un rebaño de más de doscientas cabezas, vigiladas por muy pocos pastores. Al ver avanzar a aquellos extranjeros, los hombres huyeron aterrorizados, y les fue fácil a los gemelos rodear al ganado y empujarlo hasta un valle escondido entre las colinas a unas millas más al norte. Habían proyectado esconder el rebaño hasta que cesara la búsqueda. Sabían que los pastores que habían huido volverían en cuanto encontrasen ayuda.

—Hay una cosa que no hemos decidido —dijo Idas unos días después, mientras estaban sentados junto a las tiendas—. No hemos decidido todavía cómo repartir el ganado entre nosotros.

—Supongo que, habiéndonos repartido el riesgo a partes iguales, nos repartiremos del mismo modo los animales. En otras palabras, Idas y yo nos quedaremos con la mitad.

—Pero la idea fue mía —observó Cástor—. A Pólux y a mí nos corresponde la parte más grande.

Los otros dos no aceptaron; discutieron largo rato sin llegar a un acuerdo, y al fin Idas sugirió un modo de poner fin a la cuestión. Mató una res y con su cuchillo de caza la dividió en cuatro partes iguales.

—Cada uno se comerá la ración de carne que le corresponde. El que acabe el primero se quedará con la mitad del ganado, y el segundo con el resto.

No había terminado de hablar, cuando empezó a atracarse de carne y terminó toda su parte en un tiempo increíblemente breve. Su hermano gemelo Linceo no se quedó corto. Y así no hubo duda sobre quiénes eran los vencedores. Intentando ocultar su rabia, Cástor y Pólux observaron a sus primos mientras guiaban el rebaño al sur, hacia Mesenia.

Los Dióscuros estaban más enojados que nunca. La amistad ofrecida se había roto: la guerra estaba otra vez declarada y esta vez sería más dura. Juraron recuperar el ganado, y no sólo su parte.

Tomaron la misma dirección que los gemelos rivales y llegaron a Mesenia cuando era noche cerrada. Idas y Linceo estaban durmiendo tranquilamente después del largo y polvoriento viaje que habían hecho para conducir el ganado. Cástor y Pólux se apoderaron del ganado y volvieron a esconderlo. Sabían que esta vez la búsqueda sería mucho más minuciosa y que no cejarían hasta dar con el rebaño. Idas y Linceo no abrigarían la menor duda acerca de los responsables del hurto, y el viejo odio se reavivaría. Lo único que se podía hacer era cogerlos por sorpresa, y los Dióscuros decidieron estar alerta.

Cuando dejaron el ganado para volver a Mesenia estaba amaneciendo. Miraron a su alrededor por todo el camino buscando algún escondite. A poca distancia de la ciudad había un cementerio. Las lápidas sobresalían por encima de la hierba, y cerca del sendero se elevaba una vieja encina. Su tronco estaba hueco y era lo suficientemente amplio como para esconder a una persona. Cástor se metió velozmente en el árbol y Pólux se acurrucó entre la hierba a la sombra de una losa. Todo parecía dispuesto para un ataque por sorpresa.

Sin embargo, el robo había sido descubierto durante la noche, e Idas y Linceo ya llevaban algunas horas dedicados a hacer indagaciones. A las primeras luces del alba encontraron las huellas de los cascos por el camino que conducía a Esparta, y avanzaron cautelosamente, esperando encontrarse a los enemigos detrás de cada matorral. Cuando Idas y Linceo llegaron al cementerio, también ellos decidieron que aquel era el sitio ideal para esconderse, y se agazaparon detrás de las dos lápidas más alejadas del camino.

¡No podían dar crédito a sus ojos cuando se dieron cuenta de que también los otros habían escogido el mismo lugar para esconderse, y justo delante de ellos!

Linceo, cuya vista —más penetrante que la

del *lince*— era capaz de atravesar objetos opacos, descubrió el escondrijo de Cástor y se lo comunicó a Idas, que se puso de pie como impulsado por un muelle. Cástor oyó un ruido a sus espaldas, pero ya la lanza de su primo estaba en el aire con su mensaje de muerte. Antes de que pudiera darse cuenta, tenía el corazón atravesado y se vio cosido al árbol que había pensado que podía servirle de refugio.

Entre tanto, Linceo intentó alcanzar con su lanza a Pólux, pero erró el golpe. Le arrojó entonces una piedra: Pólux se protegió con el 'escudo, pero en vano. La piedra lo golpeó en el brazo y le rompió el hueso. Fuera de sí por la muerte de su hermano, rabioso de dolor, Pólux corrió hacia Linceo como un loco furioso. Pocos habrían podido resistir semejante ataque, y, en efecto, de dos estocadas también Linceo cayó muerto.

Idas notó que Pólux estaba perdiendo fuerzas a causa de la sangre que salía de sus heridas, y se lanzó al ataque esperando obtener una fácil victoria. Pero las cosas ocurrieron de otro modo. Al ir a acometerlo, todo el cementerio se inundó de una luz cegadora. Cuando Pólux abrió los ojos, Idas estaba tendido en el suelo. Elevó su mirada hacia el cielo y vio una nube que revoloteaba sobre él y se perdía entre las lápidas. Zeus, que había seguido el combate desde lo alto, había salvado a su hijo con un rayo.

Pólux era el único que quedaba. Llevó el cuerpo de su hermano hasta donde había escondido los caballos y lo colocó sobre la silla.

Cástor fue sepultado con todos los honores debidos al hijo de un rey y se construyó un monumento en su memoria. Pero no era suficiente. Los dos hermanos no se habían separado nunca y Pólux no podía vivir sin su gemelo. Lo primero que se le ocurrió fue suicidarse, pero tal gesto lo separaría para siempre de su hermano, porque, como hijo de Zeus, era inmortal y subiría al Olimpo para vivir una nueva vida entre los otros dioses. Su hermano, que era mortal, no podría seguirlo.

No pudiendo cambiar las leyes de la vida y de la muerte, Zeus lo ayudó con una solución de compromiso: los dos gemelos pasarían unos días en el Olimpo y otros en el mundo de ultratumba, y así estarían juntos para siempre.

El *Himno homérico* XXXIII «A los Dióscuros» es un canto precisamente a los beneficios que los gemelos proporcionan a los navegantes en su calidad de estrellas:

«¡Cantad, Musas de ojos negros, a los hijos de Zeus, a los Tindáridas, espléndidos hijos de Leda la de hermosos tobillos! A Cástor, domador de caballos, y al irreprochable Pólux. A ellos, bajo la cumbre del elevado monte Taigeto, unida en amor al Cronión (Zeus), amontonador de nubarrones, los alumbró como hijos, salvadores de los hombres que viven sobre la tierra y de las naves del raudo curso, cuando las tempestades invernales se desencadenan sobre la mar inexorable.

Los marineros, desde sus bajeles, invocan a los hijos del gran Zeus, ofreciéndole blancos corderos, subidos en lo alto de la popa. El fuerte viento y el oleaje del mar impulsan a la nave bajo el agua, pero ellos aparecen de repente, lanzándose a través del éter, con sus alas susurrantes y en seguida apaciguan los huracanes de vientos terribles, y les allanan las olas en la superficie de la mar blanquecina a los marineros, buena señal contra toda esperanza para ellos. Y éstos, al verla, se alegran y descansan de su penosa fatiga.

¡Salve, Tindáridas, caballeros sobre raudos corceles, que yo me acordaré de otro canto y de vosotros!»

Jasón y el vellocino de oro

La historia del vellocino de oro y del viaje que hizo Jasón con los Argonautas para traerlo a Grecia desde la Cólquide, en el Mar Negro, tuvo su origen muchos años antes del nacimiento de Jasón. Para saber por qué el vellocino de oro fue colgado de las ramas de un árbol en el bosque sagrado de la Cólquide, tendremos que remontarnos a los tiempos de la princesa Teófane, hija de un rey de Tracia.

Teófane era muy hermosa. En la corte llevaba una vida normal, parecida a la de todas las jóvenes del reino. Le gustaba tenderse al sol y nadar en las claras aguas de la bahía próxima al palacio; a veces se imaginaba ser una de aquellas ninfas que vivían en las grutas de la costa.

Un día Posidón, rey del mar, la vio y se quedó encantado de la expresión alegre de sus ojos. La subió a su carro y la llevó a la isla de Crumisa, donde esperaba poder enamorarla. La joven tenía ya muchos pretendientes mortales, que decidieron ir a buscarla a la isla. Molesto porque los mortales se atrevieran a perturbar sus planes, Posidón transformó a la princesa en oveja, haciéndola así irreconocible. Naturalmente, a sus pretendientes no se les ocurrió buscar entre los rebaños que guardaban los pastores de la isla, y aunque lo hubieran hecho no la habrían reconocido.

Pero sucedió que algunos de los pretendientes decidieron quedarse en Crumisa, atraídos por la vida de la isla. Así que Posidón se vio en la imposibilidad de hacer recobrar a la princesa su verdadero aspecto y la dejó vivir como una oveja más entre las otras. Poco tiempo después la oveja parió un corderillo con el vellocino de oro purísimo. Por voluntad de Zeus, el corderillo fue llevado a Grecia, para que paciera en las cercanías de la ciudad de Micenas.

El rey de aquella tierra, Pélope, había muerto dejando dos hijos, Atreo y Tiestes, los cuales se enzarzaron en una lucha para decidir a quién correspondería el trono de su padre. Muchos se pusieron de parte de Atreo, que era el más viejo, y otros tantos se inclinaron por Tiestes. Para evitar que la lucha degenerase en una guerra civil, los dos hermanos decidieron ir a consultar al oráculo de Delfos.

Atreo y Tiestes se pusieron en camino hacia el lugar sagrado del gran oráculo, y se quedaron allí en espera de que hablase. Unas águilas volaron sobre las rocas que se elevaban por encima de ellos, y a lo lejos se oyó el canto de un cuclillo. Luego se hizo el silencio y el oráculo empezó a hablar.

—El rey será aquel que encuentre un cordero de oro —dijo.

—¿Un cordero de oro? ¡En mi vida he oído hablar de un cordero de oro! —dijo Atreo.

—Ni yo tampoco. Lo único que podemos hacer es buscarlo.

Además de los pastores que guardaban los rebaños de la región, había otra persona que conocía la existencia del cordero con el vellocino de oro. Era la mujer de Atreo, que por aquel tiempo estaba enamorada de su cuñado Tiestes. Y así, cuando volvieron los dos con el mensaje, ella fue en secreto a sacar el cordero del rebaño de su marido para ponerlo en el de su cuñado. De ese modo, al día siguiente Tiestes se convirtió en rey.

Pero Zeus no estaba conforme con lo que había sucedido y mandó a Hermes que fuera a ver a Atreo.

—Te han engañado, porque el cordero era tuyo y no de tu hermano —le dijo Hermes, que, sin embargo, se olvidó de precisar la parte que su mujer había tenido en el engaño.

Atreo contó a su hermano lo que le había dicho el dios, pero Tiestes no le creyó.

—¿Qué majadería es ésta? —preguntó Tiestes—. ¿No habíamos quedado en que decidiera el oráculo? Me parece que lo que quieres es discutir porque no te ha gustado la respuesta.

—Aceptaría la decisión de buen grado si no sospechase alguna intriga —dijo Atreo, cada vez más convencido de haber sido víctima de una confabulación—. Estoy tan seguro de que aquí ha habido trampa como de que el sol sale por el oriente.

—¡Si eres tú el verdadero rey, que salga por occidente! —exclamó entonces Tiestes con desprecio.

La discusión prosiguió toda la noche. Pero el amanecer del día siguiente se presentó de un modo extraño; de ordinario las primeras luces del alba se filtraban por las ventanas que daban a las colinas situadas al oriente, pero aquel día fue al revés. Una luz deslumbrante subía por el otro lado, porque aquel día Helio había salido con su carro por occidente, lejos, más allá de las columnas de Hércules. Ante aquella señal indiscutible, Tiestes dejó el trono a su hermano y se fue del reino.

Entre tanto el cordero había crecido y se había convertido en un carnero con dos hermosísimos cuernos retorcidos.

En Orcómeno, cerca de Tebas, donde era rey Atamante, estaba desarrollándose otra contienda. Atamante tenía cuatro hijos: Frixo y Hele de su primera mujer, y otros dos de la segunda, Ino.

Ino estaba cada año más celosa de sus hijastros. Según ella, su marido favorecía a Frixo y Hele en detrimento de sus hijos. Cuando se lamentaba de ello, no recibía más respuesta que una carcajada, porque Atamante sabía tratar a todos sus hijos del mismo modo.

—Son fantasías tuyas. Deja de hacer el tonto —le decía.

Estas palabras ponían furiosa a Ino, que al fin imaginó un plan para deshacerse de Frixo y Hele. Encendió fuego en los sótanos que estaban debajo del almacén donde se guardaban el grano y la cebada, con el fin de que se tostaran y no pudieran germinar. Una vez plantado, el grano no creció y hubo un largo período de carestía. Entonces Ino dijo al rey que había venido un mensajero de Delfos a decir que todo volvería a su estado normal si Frixo y Hele eran sacrificados a Zeus. Los campos volverían a ponerse verdes, el grano crecería otra vez y la cosecha sería abundante.

Atamante consultó entonces a los miembros de la administración de la ciudad, aunque en su fuero interno ya había decidido: sus amados hijos debían morir para salvar a todo el pueblo de Orcómeno. Los sabios le dieron las gracias tristemente, y con profundo dolor el rey ordenó que se preparase el sacrificio.

En el Olimpo Zeus se enfureció. El sacrificio iba a hacerse en su nombre pero se había organizado sin su consentimiento. Llamó a Hermes y le mandó que cogiera el morueco del vellocino de oro, que bajo la protección de Atreo se había hecho fuerte y robusto.

Y justamente cuando los dos jovencitos estaban acercándose al altar para ser sacrificados, apareció colando el morueco con su vellocino resplandeciente al sol. Los sacerdotes retrocedieron horrorizados.

—¡Huid, pequeños! —gritó Hermes, invisible a un lado del animal—. ¡Subid en el morueco y volad! ¡Volad como el viento por encima de la tierra y el mar!

Nadie osó detenerlos. Frixo se agarró a los cuernos del animal, mientras su hermana, sentada detrás de él, se aferraba al vellocino. Volaron por el cielo azul en dirección nordeste y luego desaparecieron de la vista.

Viajaron durante muchos kilómetros por encima del mar y, cuando el morueco llegó a la vista de tierra firme, descendió. Hele, presa de

excitación, soltó una mano para saludar, perdió el equilibrio y cayó de cabeza. Cayó allá abajo, al estrecho canal de agua que separa Europa de Asia. Se ahogó, y desde aquel día el trecho de mar recibió en su memoria el nombre de Helesponto. El morueco continuó su viaje con Frixo, atravesó el Mar Negro y llegó a la Cólquide.

Ahora que la obra del morueco estaba cumplida, Zeus ordenó que fuese sacrificado, y el vellocino de oro fue colgado de las ramas de una encina en el bosque sagrado que había cerca del palacio del rey Eetes. Un dragón que no dormía nunca lo guardaba.

Por la época de la disputa entre Atreo y Tiestes, Jasón, cuyo nombre irá siempre ligado al vellocino de oro, era ya un hombre. Vivía con unos compañeros en el monte Pelio, y el centauro Quirón lo había adiestrado en el arte de la caza y de la guerra. El padre de Jasón era Esón, rey de Iolco, en Tesalia, el cual había sido destronado por su hermanastro Pelias. Al huir había confiado a su hijo a los cuidados de Quirón, que con su sabiduría podría prepararlo para vivir en la guerra como en la paz.

Quirón tenía el don de leer el futuro. Un día dijo a Jasón:

—Ya eres un hombre y tienes que entrar en el mundo. Veo para ti grandes conquistas, pero también muchos peligros que superar. Tal vez te desanimes, pero recuerda siempre mis palabras y encontrarás la fuerza para vencer.

—No conozco mucho el mundo, fuera de la caza en los bosques y en los valles contigo y con mis amigos. ¿Sabrías decirme qué camino debo tomar?

—Puedes ir a Iolco —le sugirió el centauro—. Tal vez se te presente la ocasión de reconquistar el reino para tu padre o, si está muerto, para ti.

Marchó Jasón con tal propósito. Un día mientras estaba parado a la orilla de un río de aguas turbulentas y consideraba cómo atravesarlo, sintió que una mano le tocaba en el hombro y se dio la vuelta: detrás de él había una vieja encorvada, vestida de harapos, que parecía haber surgido de la nada, porque por allí no era posible esconderse en ningún sitio.

—Buen señor —le dijo—. ¿Sería usted tan amable de ayudarme a atravesar el río?

—También yo estoy pensando cómo hacerlo. Si el agua no es muy profunda, podré vadearlo; si no, tendré que atravesarlo a nado. Si quiere usted arriesgarse a montar sobre mis hombros, sea usted bienvenida.

Tomó, pues, a la vieja sobre sus hombros y, agarrándose a la rama de un árbol, entró en el agua. La corriente era fuerte, pero el agua era menos profunda de lo que había imaginado. Sin embargo, el esfuerzo fue terrible, porque el

peso de la mujer parecía aumentar a cada paso y el agua se arremolinaba con rapidez a su alrededor. Más de una vez estuvo a punto de hundirse. Cuando al fin consiguió llegar a la otra orilla, estaba exhausto y se dejó caer sobre la hierba para recobrar el aliento.

En aquel momento se dio cuenta de que había perdido una sandalia. Se agachó para asegurarse de que la otra estaba bien atada y, cuando levantó la mirada, vio ante sí una mujer hermosísima con una corona de oro en la cabeza. La vieja había desaparecido.

—No temas, Jasón —le dijo—, y no te preocupes por la sandalia. Su pérdida será para ti una ganancia, pero todavía tienes que esperar.

—¿Quién eres? —preguntó el joven.

—Soy Hera, la esposa de Zeus, la reina de los cielos. Has sido amable con la vieja y no has pensado en librarte de ella ni siquiera cuando estabas a punto de ahogarte. Por ello yo te protegeré. Ve a Iolco sin temor y enfréntate con el rey.

Hera desapareció con la misma rapidez con que había aparecido. Perplejo, Jasón continuó su viaje. Cuando llegó a Iolco, notó que los que pasaban lo miraban de un modo extraño y cuchicheaban entre sí. No lograba explicarse la razón. No era un monstruo con dos cabezas para que lo mirasen de aquella forma. Se acercó a un hombre y consiguió sacarle estas palabras:

—Es que dicen que el rey será destronado por un hombre que tenga sólo una sandalia —dijo.

Entonces Jasón se acordó de las palabras de Hera. Pidió ser recibido por el rey Pelias, y otra vez notó que los ojos del soberano se quedaban fijos en su pie desnudo. Aunque aparentaba amistad, se veía que estaba molesto.

—Sé que piensas que yo agravié a tu padre. Pues bien, estoy dispuesto a cederte la corona a ti o a cualquiera que demuestre que es más digno que yo. No le será fácil a tal persona traer la prueba.

—Lo juzgarías digno si pudiera traer el vellocino de oro de la Cólquide —dijo Jasón, sorprendido de sus propias palabras, porque no había pensado nunca en el vellocino de oro. Es más, sabía muy poco de la historia del morueco con el manto precioso, sacrificado a Zeus.

Los ojos de Pelias brillaron astutos: ahí tenía la posibilidad de deshacerse del joven, y quizá para siempre, pues tal búsqueda sería larga y peligrosa.

—Si consigues recobrar el vellocino de oro, Iolco será tuya —concluyó el rey.

Aquella tarea era un gran desafío, y Jasón hizo los preparativos cuidadosamente. La nave fue construida bajo la dirección de Argos, un hábil artesano, hijo de Frixo, y de él tomó el nombre. Como buen augurio, y por consejo de Hera, Atenea colocó en la proa de la nave un mascarón dotado de voz procedente de la encina profética de Dodona. Con Jasón zarparon unos cincuenta héroes, escogidos entre los mejores de Grecia.

Empezó llamando a Peleo y Telamón, que fueron compañeros suyos en los días en que vivía con Quirón, a los que se unieron el fuerte Hércules, los Dióscuros, Cástor y Pólux, y sus primos, Idas y Linceo. Estaban también Zetes y Cálais, los alados hijos de Bóreas, el viento del norte, y Orfeo, un músico que, aunque mortal, podía competir con Apolo en el arte de tocar la lira. No era un guerrero, pero tuvo un papel muy importante en la empresa.

La única mujer de la tripulación era Atalanta, la cazadora de la Arcadia, habilísima en el tiro con arco. Estaban también Ascálafo, hijo de Ares; Equión, hijo de Hermes; Idmon, hijo de Apolo; Ífito, hermano del rey Euristeo de Tirinto, y Meleagro, el héroe máximo de Calidón. Todos ellos fueron llamados los Argonautas, derivado de *Argo,* el nombre de la nave.

Todas las naves griegas de aquel tiempo tenían remos y velas. Jasón se valió de los primeros con el fin de evitar las rocas y los bancos de arena de las proximidades del puerto, e izó la vela cuando estuvo en alta mar. La primera etapa, breve, fue hasta la isla de Lemnos; luego, aprovechando la oscuridad de la noche, pasaron sin ser vistos por las estrechas aguas del

Helesponto, que Laomedonte, rey de la cercana Troya, había prohibido a las naves griegas.

Al amanecer ya habían pasado. Poco tiempo después desapareció Hércules. Había bajado a tierra con un criado para hacerse un remo nuevo, porque el suyo se había roto durante una competición de velocidad con Jasón. Cuando Hércules se dio cuenta de que el criado se había perdido, fue a buscarlo. La tripulación los esperó durante algunos días, pero se vieron obligados a zarpar sin ellos.

Los Argonautas se marcharon de mala gana, porque Hércules era uno de los héroes más fuertes y sabían que los esperaba un peligro muy particular: para llegar al mar Negro tenían que atravesar el Bósforo, un estrecho entre dos enormes rocas flotantes, conocidas como las Simplégades, que chocaban entre sí, triturando a todo el que intentara pasar al otro lado. Al llegar frente a las Simplégades, los Argonautas soltaron una paloma. Apenas había pasado entre las rocas, cuando se oyó un estruendo parecido al de un trueno, pero poco después la paloma volvió a la nave sana y salva con sólo unas plumas de la cola de menos. Los héroes dedujeron que el choque acababa de suceder y que las rocas estaban separándose. Con toda la fuerza de los remos se lanzaron al estrecho, y lograron pasar, aunque, como la paloma, perdieron la parte ornamental de la popa. Según la profecía del destino, desde entonces las Simplégades pemanecieron siempre abiertas, porque una nave había conseguido pasar incólume.

Continuaron navegando hacia el norte, siguiendo la costa oriental de Tracia, hasta que llegaron a la ciudad de Salmideso, donde reinaba Fineo. Fineo era viejo, sabio, y estaba dotado del don de profecía, pero los dioses lo habían castigado con la ceguera por haber predicho cosas que los dioses no querían que supieran los hombres. Como suplicio posterior le mandaron las Harpías.

Eran las Harpías unos monstruos horrendos con rostro de vieja y cuerpo y alas de pájaro. Cada vez que Fineo empezaba a comer, caían sobre su plato y le devoraban la comida, dejando en su lugar sus fétidos excrementos. Jasón prometió ayudar al rey, y para ello los Argonautas prepararon un banquete. Cuando llegaron las Harpías para apoderarse de la comida de Fineo, los Argonautas desenvainaron las espadas y rechazaron varias veces sus asaltos, hasta que los dos hijos del viento del norte las persiguieron, arrojándolas para siempre al otro lado del mar.

Agradecido, Fineo les dio muchas cosas útiles para el viaje y les indicó también la ruta que deberían seguir para llegar a la Cólquide. Bordearon el país de las Amazonas, donde Hércules se había apoderado del cinturón de Hipólita. Cerca de la isla de Ares, los pájaros del Estinfalo oscurecieron de improviso el cielo, y una lluvia de plumas metálicas comenzó a caer sobre la nave. Siguiendo las indicaciones de Fineo, Jasón y sus hombres se protegieron con el escudo y dispararon sus flechas, matando a muchos de ellos y haciendo huir al resto. Sólo Atalanta mató catorce.

Finalmente, después de haber recorrido el último trecho a fuerza de remos, llegaron a la tierra salvaje de la Cólquide.

Eetes, el rey, reinaba sobre sus súbditos de un modo tiránico y cruel. Era un mago famoso, y lo que no conseguía por la fuerza lo obtenía con la magia. No le gustó la visita de los Argonautas, pero tampoco podía oponerse con

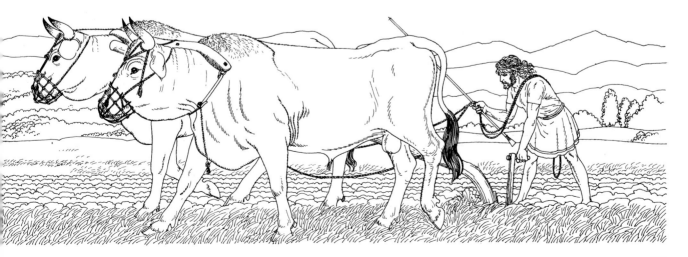

la fuerza a aquella escuadra de héroes. Decidió probar con sus poderes mágicos.

—Puedes llevarte el vellocino de oro —dijo a Jasón—, pero por voluntad de Zeus, que así lo quiere, tendrás que afrontar primero algunas pruebas.

Naturalmente eso no era verdad, pero Jasón no lo sabía. Luego prosiguió:

—Tendrás que domar mis dos fogosos toros de pezuñas de bronce y aliento de fuego, y, cuando hayas conseguido uncirlos al yugo, tendrás que arar un campo y sembrar los dientes del dragón de Cadmo, que están en este yelmo de bronce.

Jasón aceptó las condiciones del rey, pero su hija Medea, que se había enamorado de Jasón, oyó la conversación y prometió ayudarlo si se casaba con ella. Sabía que ningún hombre corriente lograría uncir a aquellos toros: el fuego de sus narices abrasaba la tierra delante de ellos.

Como su padre, también Medea tenía poderes mágicos. Del azafrán salvaje de la montaña había obtenido un ungüento que protegía del hálito ardiente de los toros. Se lo dio a Jasón y le dijo que se untara con él todo el cuerpo. Así logró Jasón dominar a los toros y arar el campo. En cuanto terminó, sembró los dientes del dragón; no había acabado todavía, cuando surgieron de la tierra guerreros armados que se lanzaron contra los Argonautas con gritos amenazadores. Pero Medea había prevenido a Jasón, diciéndole lo que tenía que hacer: lanzó en medio de ellos el yelmo en que estaban los dientes, y los guerreros empezaron a luchar entre sí, de modo que en poco tiempo perecieron todos.

—Bueno, pues tuyo es el vellocino —dijo Eetes a Jasón, escondiendo su rabia a duras penas.

Aquella tarde, Medea advirtió a Jasón que su padre había planeado mandar a sus soldados a la nave para que mataran a los Argonautas durante el sueño, una hora antes de amanecer.

—Antes de esa hora hay que coger el vellocino de oro y luego zarpar en seguida. Cuando caiga la noche, yo te acompañaré, pero no estará de más que llevemos con nosotros alguien que sepa tocar música dulce.

—Tenemos a Orfeo con nosotros —dijo el joven—. ¿Pero para qué hace falta la música?

—Ya lo verás —le respondió Medea.

Cuando se hizo de noche, Medea ensilló tres caballos y fue al puerto, donde estaba anclada la *Argo*. Jasón y Orfeo fueron con la joven, que los guió por las oscuras calles de la ciudad hasta el campo. Sin su ayuda, Jasón y Orfeo no hubieran sido capaces de encontrar el bosque. Todo estaba sumergido en el silencio. Sólo se oía el ruido de los cascos de los caballos y un búho en la lejanía. De pronto, sobre una pequeña elevación, apareció un resplandor delante de ellos. Divisaron entonces un grupo de árboles que se perfilaba contra el cielo. Era de aquellos árboles de donde procedía la misteriosa luz.

—Ese es el bosque sagrado —cuchicheó Medea—. Y es el vellocino de oro el que despide el resplandor.

Se acercaron con mucha precaución. El vellocino estaba colgado de una de las ramas más altas de un árbol, y derramaba por todo su alrededor una luz blanca, que producía entre las ramas retorcidas fantásticos efectos. Enroscado al tronco del árbol estaba el odioso guardián del vellocino, el dragón-serpiente de que tanto había oído hablar Jasón. Con sus dos ojos maléficos los miraba aproximarse. Jasón echó mano a la espada.

—No —dijo la joven—. Que toque Orfeo...

Orfeo se sentó sobre la hierba, y sus dedos comenzaron a pulsar las cuerdas de la lira, cuyas notas llenaron el aire de la noche, llegando hasta las ramas del árbol. La música parecía envolverlo todo. Poco a poco, con gran estupor de Jasón, los ojos del monstruo iban adormeciéndose, hasta que se cerraron del todo. Se había dormido.

—¡Ahora! —dijo Medea.

Jasón avanzó, pasó por delante del dragón y subió veloz al árbol de donde pendía el vellocino de oro en todo su esplendor. Lo cogió, y sujetándolo bien volvió a bajar. Los tres se marcharon dejando al dragón ignorante del robo cometido.

Llegaron a la ciudad unas horas antes de amanecer, pero sabían que no había tiempo que perder. En el puerto encontraron a Apsirto, el hermanastro de Medea, que había decidido irse con los Argonautas. La nave se movió y pronto estuvieron en alta mar.

Al llegar las primeras luces del alba, el vigía del palo mayor divisó una vela en el horizonte a sus espaldas. Medea reconoció las insignias de su padre y vio que la nave se acercaba con una velocidad superior a la de cualquier nave: era evidente que Eetes estaba utilizando sus poderes mágicos.

Pero Medea había previsto aquella persecución. Si los Argonautas hubieran imaginado lo que estaba haciendo se lo hubieran impedido: con un puñal mató a su hermanastro, cortó su cuerpo en pedazos y los iba arrojando al mar uno por uno. El rey estaba ya lo suficientemente cerca para ver lo que Medea hacía, y dio orden a sus hombres de que frenaran para poder recoger pedazo a pedazo el cuerpo de su hijo asesinado. Su nave permaneció así detrás todo el tiempo y los Argonautas pudieron huir, aunque pagando aquel terrible precio.

Antes de llegar a Grecia tuvieron que pasar cerca de las islas de las Sirenas, seres monstruosos con cabeza y busto de mujer y cuerpo, alas y patas de pájaro, cuyo maléfico poder de seducción ejercían contra los marineros que se acercaban a sus costas, a quienes encantaban con su canto mágico. Pero Orfeo tocó una música aún más dulce que la suya, y los Argonautas superaron el obstáculo.

Por fin llegó la nave a Iolco. El vellocino fue dedicado a Zeus y colgado en el templo. Jasón se dio cuenta de que la búsqueda había sido querida por Zeus y Hera desde el principio hasta el fin, para que el vellocino volviera a Grecia: él sólo había sido el medio.

Pelias cumplió su promesa y Jasón fue rey. Pero no se casó con Medea: el trato que había reservado a su hermanastro le hacía horrorizarse aún. Medea se refugió en Atenas y Jasón se casó con una princesa de Corinto.

Sus aventuras habían terminado, pero Jasón no estaba destinado a morir en paz. A veces se acercaba a la playa, donde su nave, ahora varada en las orillas, con el correr de los años se iba pudriendo poco a poco. Un día, el mascarón de proa, aquel amuleto que había dado Atenea a los Argonautas, cayó desde lo alto y lo aplastó. Murió solo, junto a la nave que le había proporcionado fama y reino.

La historia de Tebas

Tebas era la principal ciudad de Beocia, una provincia que se encontraba al norte de la gran ciudad-estado de Atenas. La historia de sus orígenes se remonta a los tiempos de Cadmo, hijo de Agénor, rey de Tiro.

Agénor tenía una hija bellísima, llamada Europa. Un día mientras jugaba con sus amigas en la playa, la joven vio venir un toro blanco. Creyendo que iba a ser embestida, Europa comenzó a huir, pero el toro era tan manso y cariñoso y la miraba con ojos tan dulces, que perdió el miedo y se puso a acariciar su cuello blanco. Luego le adornó los cuernos con coronas de flores y al fin hasta se atrevió a montarse encima.

De repente, el toro cambió de actitud y echó a correr hacia la orilla, entró en el agua y se dirigió nadando hacia la isla de Creta. La joven, aterrorizada, se agarró a su cuello. Cuando llegaron a tierra, el toro se desvaneció misteriosamente: en su lugar estaba Zeus. Le explicó que había actuado así en nombre del amor, y Europa olvidó su casa y su familia.

Agénor, en cambio, no se había olvidado de ella y mandó a su hijo Cadmo a buscarla. Como no lograba encontrarla, se dirigió al oráculo de Delfos para pedir consejo. Pero el oráculo le ordenó que abandonara la búsqueda y que siguiera, en cambio, a una vaca que encontraría por allí cerca. En el sitio en que la vaca se echase a descansar debería fundar una ciudad.

Todo sucedió como el oráculo lo había predicho, y Cadmo y sus hombres siguieron a la vaca durante muchos días, hasta que al fin llegaron a un lugar llamado Beocia. Allí se detuvo la vaca: habían encontrado la localidad. Mientras Cadmo daba gracias a los dioses, sus hombres fueron a traer agua de un pozo cercano. Entonces se dieron cuenta de que aquella tierra estaba custodiada por una horrible serpiente o dragón que lanzaba fuego por la boca. La bestia los mató a todos de una sola llamarada mortífera de calor. No viéndolos regresar, Cadmo fue a buscarlos.

Después de una lucha feroz, Cadmo consiguió vencer al monstruo y, siguiendo las instrucciones de Atenea, que estaba a su lado, sembró los dientes del dragón. Al instante los dientes se convirtieron en un ejército de guerreros. Cadmo se volvió, dispuesto a defenderse, pero Atenea le sugirió que lanzase una piedra en medio de ellos y de ese modo combatirían entre sí. La batalla fue larga y difícil: sólo cinco de los extraños guerreros sobrevivieron. Eran conocidos con el nombre de Espartos, es decir, «hombres sembrados», y fueron ellos los que ayudaron a Cadmo a fundar Cadmea, la acrópolis de la ciudad que se convertiría en Tebas. Se casaron, y sus familias tuvieron un papel importante en la historia de la ciudad. También Cadmo se casó con Harmonía, hija de Ares y Afrodita, y establecieron el orden y la civilización en el país.

La vida de Cadmo no fue fácil. Descubrió que el dragón que había matado era también hijo de Ares, y el dios no se lo perdonó nunca. De viejo fue destronado por uno de sus descendientes, arrojado de la ciudad junto con su mujer, y se vieron obligados a vivir como mejor podían en los bosques. Una noche, después de haber andado durante varios días, alimentándose de las pocas bayas y raíces que pudieron encontrar, Cadmo se sumió en la desesperación.

—¡Si las serpientes son tan queridas de los dioses, también yo hubiera querido nacer serpiente!

Y entonces, ante los ojos aterrorizados de Harmonía, el cuerpo del hombre empezó a encogerse y alargarse, cubriéndose de escamas. En su nueva e insólita forma se enroscó a los pies de su mujer.

—¡Oh dioses del Olimpo, si aún tenéis un poco de piedad, haced que me reúna con mi marido, al que he seguido durante tanto tiempo! —suplicó la mujer, y también ella quedó convertida en serpiente.

Los dos animales levantaron un momento la cabeza para observar su nuevo mundo y desaparecieron tras una roca.

Tebas creció y prosperó a despecho de la vecina Atenas, con la que estuvo en continua rivalidad. Reforzó su posición como capital de Beocia, formando una confederación de todas las principales ciudades de la región.

La familia más importante de Tebas, después del período de Cadmo, fue la de los descendientes de Lábdaco, que descendían de una hermana de los primeros guerreros. Sin embargo, de cuando en cuando la línea sucesoria se veía interrumpida por algún usurpador. Uno de éstos fue el rey Layo, el cual, advertido por un oráculo de que moriría a manos de su hijo, tomó al niño y lo llevó a morir al monte Citerón, donde lo abandonó con los pies atados y atravesados por una lanza.

El monte Citerón se encuentra en la parte de Beocia más próxima a Corinto, y el niño fue encontrado por unos pastores del rey de Co-

rinto, Pólibo, que siempre había deseado un hijo sin conseguirlo. Los pastores lo llevaron a la corte, y el pequeño, a quien dieron el nombre de Edipo (= «Pies hinchados»), fue educado como si fuera el verdadero hijo del rey.

Cuando creció, el joven Edipo decidió descubrir su verdadero origen y acudió a consultar al oráculo de Delfos. Se arrepintió terriblemente de aquella decisión, porque el oráculo le dijo que mataría a su padre y se casaría con su madre.

Espantado ante aquella noticia, resolvió no volver más a Corinto, porque el rey Pólibo y la reina Mérope eran los dos únicos padres que había conocido y no quería arriesgarse a hacerles ningún daño. Pensó que lo mejor sería marcharse a Tebas.

Había recorrido ya un buen trecho de camino y sólo le faltaba un día de viaje, cuando vio avanzar un carro tirado por dos caballos. Las ropas del que lo conducía, los dos soldados que lo acompañaban, los ricos jaeces de los caballos, lo inclinaron a pensar que se trataba de una persona de noble origen. Edipo no le dejó paso con la suficiente celeridad, y el hombre le gritó con malos modos que se apartara, restallando el látigo repetidamente.

—Pues por hablarme de esa forma tan grosera, ahora no me aparto —dijo Edipo.

—¡Perro insolente! —gritó el forastero haciendo una seña a su escolta.

Los dos soldados se lanzaron hacia adelante con las espadas desenvainadas, pero en pocos minutos Edipo los dejó a entrambos tendidos en el suelo.

—Y ahora, señor mío —dijo, volviéndose hacia el gentilhombre, que había seguido el duelo desde su carro—, vamos a ver si tienes la espada tan larga como la lengua.

Y diciendo y haciendo, se lanzó hacia adelante y tiró una estocada que el forastero, a duras penas, consiguió parar. Pero los caballos, espantados con el ruido de los aceros, se encabritaron y tiraron al suelo a su dueño. El hombre cayó sobre la espada de Edipo, quedando muerto en el acto.

Edipo descansó un poco, y luego, satisfecho, volvió a emprender el viaje; pero había algo que no sabía: aquel noble era su padre, el rey Layo de Tebas. La primera parte de la profecía del oráculo se había cumplido.

A poca distancia de Tebas había una roca que dominaba el camino que llevaba a la ciu-

dad. Aquella roca era la morada de la Esfinge, la monstruosa hija de Equidna y Tifón, que tenía cabeza de mujer, pecho, patas y garras de león, cola de serpiente y alas de pájaro. Había sido enviada a aquel lugar para incordiar a los viajeros que entraban y salían de la ciudad, en castigo por el pasado criminal del rey. A todos lo que pasaban por allí les proponía un enigma, que hasta aquel momento nadie había resuelto. Cuando uno no respondía, la Esfinge se arrojaba sobre él y lo estrangulaba.

Hacía mucho tiempo que nadie pasaba por aquel camino. El caso es que, mientras Edipo avanzaba, vio al extraño ser agachado a un lado del camino, y apenas llegó a su altura se plantó delante de él, abriendo las alas para no dejarlo pasar.

—¡Quieto! —ordenó—. Sólo podrás entrar en la ciudad si resuelves el enigma que voy a proponerte. Si te equivocas, morirás.

—Pues si es así —dijo Edipo—, probemos.

—¿Cuál es el ser provisto de voz —preguntó la Esfinge— que por la mañana tiene cuatro patas, por la tarde dos, y por la noche tres?

—El hombre —respondió Edipo sin vacilar—. De pequeño anda a gatas, luego camina en dos piernas, y cuando es viejo se apoya en el bastón.

La Esfinge, furiosa, empezó a agitarse y a gritar de rabia, porque ahora que el enigma estaba resuelto no le quedaba ya ningún poder, y corrió a suicidarse precipitándose desde una roca. Edipo pudo así llegar a Tebas, donde fue saludado por la gente como salvador del pueblo.

No tardó mucho en llegar la noticia de la

muerte del rey. Pensaron que lo habían matado los ladrones y en seguida comenzó la búsqueda. Edipo no pensó en una conexión entre la muerte del rey y su encuentro con el noble del carro, y aceptó el trono vacante que le ofrecieron los tebanos en señal de gratitud por lo que había hecho. Yocasta, la mujer de Layo, era la reina. Sin saberlo, Edipo se había casado con su madre, y de este modo se cumplió también la segunda parte del oráculo.

Entonces Tebas fue azotada por una terrible peste: las gentes morían de una extraña fiebre; la ciudad se convirtió en un lugar de dolor. Una vez más fueron a consultar al oráculo de Delfos.

—No cesará la peste hasta que el asesino del rey Layo no sea desterrado.

Sorprendido y dolorido de que el rey hubiese sido asesinado por un tebano, Edipo intensificó las investigaciones, aunque sin ningún resultado. Un día se presentó en la corte Tiresias, un viejo ciego muy conocido como adivino, diciendo que tenía la solución de los problemas de Tebas.

—Si puedes salvar a Tebas, habla —le dijo Edipo.

Tiresias comenzó a hablar: al principio parecía que divagaba, que no iba al grano, pero, poco a poco, Edipo empezó a tirar de los hilos de una historia que pensaba que nadie salvo él la conocía, porque era la historia de su vida. Toda la incertidumbre y perplejidad en que había estado sumido acerca de su nacimiento y de su vida más reciente en Tebas se aclaraba ahora. Si el hombre aquel decía la verdad, él había matado a su padre, Layo, y se había casado con su madre, Yocasta.

La confirmación de la terrible historia del adivino se consiguió también en Corinto, y Yocasta, incapaz de soportar la vergüenza del incesto, se ahorcó. También Edipo se dio cuenta de que ya no podría vivir en Tebas y, solo y sin amigos, huyó a los montes. Se cuenta que, para expiar el mal que había acarreado a los otros, se sacó los ojos.

En la *Odisea* (XI, 271-280) tenemos una rápida evocación de la historia de Edipo:

«Vino luego la madre de Edipo, la bella Yocasta, / que una gran impiedad cometió sin saberlo ella misma, / pues casó con Edipo, su hijo. Tomóla él de esposa / tras haber dado muerte a su padre, y los dioses lo hicieron / a las gentes saber. Él en Tebas, rigiendo a los cadmios, / en dolores penó por infaustos designios divinos / y ella fuese a las casas de Hades, de sólidos cierres / que, rendida de angustia, se ahorcó suspendiendo una cuerda / de la más alta viga. Al morir le dejó nuevos duelos, / cuantos suelen traer a los hombres las furias maternas.»

Después de que se fue Edipo, fueron elegidos para gobernar Tebas sus dos hijos gemelos Etéocles y Polinices. Deberían gobernar alternativamente un año cada uno, pero Etéocles, al acabar su período, se negó a ceder la corona a su hermano y lo expulsó de Tebas.

Furioso por la injusticia cometida, Polinices fue a pedir ayuda al rey de Argos, Adrasto. Estos reunieron seis conocidos guerreros con sus ejércitos. Además del mismo Adrasto y su yerno Tideo, estaban Partenopeo, hijo de la cazadora Atalanta, Capaneo, Hipomedonte y Anfiarao. Anfiarao fue el único en resistirse, porque presagiaba que la expedición acabaría mal. En efecto, había tenido en sueños una visión, donde siete hombres yacían muertos en el polvo a las puertas de Tebas. De todos modos acabó convenciéndolo su mujer, a quien previamente había sobornado Polinices con un bellísimo collar de oro que había pertenecido a la mujer de Cadmo.

Una vez que estuvieron todos reunidos, Polinices convocó un consejo de guerra.

—Antes de nada quiero daros las gracias por haber venido a ayudarme —dijo—. Combatimos por una causa justa. Mi hermano se ha portado de tal modo, que no puede merecer el respeto de sus súbditos. Si he buscado la ayuda de seis valientes para unirse a mí, no ha sido sin intención. Hay siete puertas para entrar en la ciudad de Tebas, y siete somos nosotros, con siete ejércitos, porque Adrasto me ha cedido la mitad del suyo. Cada uno de nosotros atacará una puerta, y nuestros enemigos no tendrán posibilidad de rechazar un ataque tan masivo.

Y así los siete ejércitos, capitaneados por Polinices y Adrasto, se dirigieron hacia Tebas. Hicieron la primera parada en Nemea, porque sabían que allí había una fuente de agua fresca. Una joven, niñera del hijo de los reyes del país, se ofreció a acompañarlos y los esperó mientras bebían y se abastecían de agua. Cuando volvieron al camino, descubrieron con horror que el niño, al que la joven había dejado indefenso sobre la hierba, había muerto mordido por una serpiente.

—Es un mal presagio para una empresa que ha empezado bajo malos agüeros desde el principio —dijo Anfiarao—. Hagamos las honras fúnebres al niño o perderemos las pocas posibilidades de éxito.

Sus palabras no pudieron ser ignoradas. El ejército acampó junto a la fuente durante varios días para celebrar todos los ritos que asegurasen al alma del niño su paso al mundo de los muertos.

Volvieron a detenerse en la llanura, bajo la roca que había sido morada de la Esfinge. Polinices envió a Tideo a la ciudad para pedir que se rindieran, pero Etéocles se negó. Entonces Tideo desafió en singular combate a algunos guerreros tebanos y los venció con tanta facilidad que nadie más osó pasar adelante. Luego llevó a Polinices la respuesta de Etéocles. Entonces los ejércitos se desplegaron delante de cada puerta.

Entre tanto Tiresias, el vidente, había solicitado hablar con Etéocles.

—La situación es grave —le dijo—, y sólo venceremos si un hijo de una de nuestras familias nobles se ofrece a sí mismo en sacrificio a Ares, el dios de la guerra.

Muchos se ofrecieron voluntarios, pero fue Meneceo, un joven noble, hijo de Creonte, regente de Tebas, el que se sacrificó arrojándose desde las almenas. El sacrificio del joven animó a los tebanos, que lograron rechazar el primer ataque y matar a Capaneo. En un contraataque cayeron también Hipomedonte y Partenopeo, y el soberbio Tideo recibió tales heridas que no pudo volver a tomar parte en el combate.

De los siete ya no quedaban más que Polinices, Adrasto y Anfiarao. Después de la última escaramuza, Etéocles y sus soldados se retiraron a la ciudad, pero en los campos de batalla quedaron muchos muertos de ambos bandos. Viendo aquello, Polinices decidió evitar que murieran más hombres. Dejó las filas de sus soldados y se acercó a las murallas de la ciudad.

—¡Hermano Etéocles! —gritó—. Ya han muerto demasiados hombres en esta guerra, que al fin y al cabo es una guerra entre tú y yo. Baja sin escolta a combatir conmigo para poner fin a la contienda.

Etéocles no era un cobarde y al momento dejó oír su voz desde el punto más alto de la acrópolis, desde donde había observado a su hermano gemelo mientras avanzaba.

—¡Acepto! —gritó, mientras de ambas escuadras se elevaron aplausos ensordecedores.

Luego cesó el ruido, y los soldados se quedaron observando, en completo silencio, la puerta de la ciudad que se abría, y a Etéocles que se acercaba a largos pasos con la espada desenvainada.

Los dos hermanos se encontraron frente a frente. Ninguno de los dos habló. Fue Polinices el primero en atacar, lanzándose hacia adelante, pero Etéocles paró el golpe con el escudo y asestó un contragolpe, que su hermano esquivó con igual habilidad. La lucha estaba igualada, como disputada entre auténticos campeones, y no era posible imaginar quién de los dos sería capaz de prevalecer. Los soldados de la llanura y de las murallas de la ciudad observaban en silencio.

Y de pronto, inesperadamente, todo acabó. Ambos combatientes lanzaron a la vez una estocada a fondo, y bajaron la guardia, confiando en la velocidad del movimiento. Habían tenido la misma idea y los dos cayeron heridos de muerte.

Por un instante, los espectadores permanecieron en silencio, atónitos, hasta que del interior de la ciudad se elevó una clara palabra de mando. El noble tebano Creonte, al ver caer a su caudillo, se puso al frente del ejército. De las siete puertas salieron, al mismo tiempo, hombres en armas con gritos de guerra y pusieron en fuga a sus enemigos. De los siete jefes sólo Adrasto, rey de Argos, consiguió huir.

Creonte, nuevo jefe de los tebanos, comenzó a gobernar de modo cruel. Para empezar prohibió dar sepultura a los vencidos.

—Dejadlos pudrirse donde están —dijo con desprecio—. Dejad que los buitres se lleven sus huesos. ¿Por qué tenemos que honrarlos con la sepultura?

Pero Antígona, hermana de Polinices y de Etéocles, decidió que al menos Polinices no se quedaría sin sepultura. En *Los siete contra Tebas*, Esquilo la hizo hablar así en un memorable parlamento:

«Pues yo, a los gobernantes de esta tierra,
les digo que si nadie va a ayudarme
a enterrar a mi hermano, yo en persona
pienso enterrarlo y me hago responsable
por el entierro de un hermano, sin
rubor alguno por no someterme
a lo que ordena la ciudad. Terrible
es la entraña común de que nacimos
—la de mi pobre madre— y la del padre.
De todo corazón, pues, alma mía,
participa en el mal de quien no tiene
ya voluntad, viviendo para un muerto.
Ni tampoco los lobos, con su vientre
fláccido probarán sus carnes. Nadie
vaya a creerlo. Exequias y una fosa
yo, aunque sea mujer, pienso ofrecerle,
mal sea entre los pliegues de mis ropas,
y yo en persona tenga que enterrarlo.
Y que nadie imagine lo contrario,
que mi audacia hallará un medio efectivo.»

Resuelta, pues, a todo, llamó a los criados de quienes se podía fiar, aquellos que habían servido fielmente a la familia antes de que Polinices fuera desterrado. Sabía que respetarían su recuerdo y, cuando cayó la noche, los condujo a la llanura fuera de las murallas para recoger el cuerpo. Cavaron una fosa al pie de la roca que en otro tiempo fuera morada de la Esfinge, y allí colocaron reverentemente el cuerpo de Polinices. La noche siguiente volvió con los hombres que construyeron la tumba.

Por la mañana, Creonte observó desde la acrópolis y, dándose cuenta de que el cuerpo había desaparecido, mandó inmediatamente a unos soldados que fueran a buscarlo. Encontraron a Antígona sola, en pie junto a la tumba: estaba recordando los tiempos en que, de niña, jugaba con sus dos hermanos justo bajo aquella roca.

Cuando Creonte se enteró de lo que había hecho Antígona, ordenó a su hijo Hemón que emparedase a Antígona en la tumba que ella había abierto para su hermano. Quería que se diesen inmediatamente cuenta de que no se podía desobedecer impunemente sus órdenes, y su castigo serviría de escarmiento a todos los que decidieran sepultar a sus muertos en secreto. Hemón fingió estar de acuerdo con su padre, pero estaba enamorado de Antígona, ella era la mujer que había elegido como futura esposa, y jamás se habría atrevido a infligirle un castigo tan cruel. Huyeron juntos en su veloz caballo hasta un lugar seguro donde pudieran casarse y vivir juntos sin que el nuevo rey lo supiese.

Entre tanto, Adrasto había vuelto a Argos, su patria, y no tardaron en llegarle noticias del mal gobierno de Creonte. En aquellos tiempos era considerado bárbaro el no hacer las honras fúnebres a un enemigo que había combatido bien y había sido lealmente vencido en una batalla, dándole conveniente sepultura.

Sin embargo, el ejército de Adrasto estaba en pésimas condiciones después del agotador combate mantenido bajo las murallas de Tebas. No valía la pena intentar otra vez combatir: habría sido una derrota segura. Marchó entonces a Atenas, donde sabía que encontraría a alguien dispuesto a escucharlo, porque entre Atenas y Tebas siempre había habido roces.

En aquel tiempo era rey de Atenas Teseo, uno de los más importantes héroes de Grecia, que aceptó con mucho gusto la ocasión de enfrentar las fuerzas de sus ejércitos con las de la odiada Tebas. El plan de los atenienses era coger a Tebas completamente por sorpresa. No encontraron dificultad de ningún tipo y lograron invadir la ciudad. El rey Creonte fue hecho prisionero, pero antes de acabar con él lo obligaron a asistir al sepelio de los hombres del ejército de Polinices: aquel rito les aseguraría una vida tranquila en el Hades.

Teseo, rey de Atenas

Teseo, uno de los más grandes héroes griegos, nació en Trecén, ciudad que se extendía sobre una llanura que bordeaba el mar. Su madre, Etra, era hija del rey de Trecén, y su padre, Egeo, era rey de la gran ciudad-estado de Atenas.

Poco antes del nacimiento de Teseo, el rey Egeo dejó Trecén y a su joven esposa para volver a Atenas. La ciudad distaba muchas semanas de viaje, y no sabemos con certeza si Egeo volvió. Lo cierto es que, antes de marcharse, llevó a Etra y seis robustos hombres fuera de las murallas de la ciudad. Cerca de un grupo de pinos, una gran roca se elevaba en la llanura.

—Nuestro primogénito será un varón y se llamará Teseo —dijo—. En cuanto se haga hombre irá a verme y, para que yo pueda reconocerlo, llevará como señal las cosas que ahora le dejo.

Y diciendo esto, puso en el suelo la espada, se quitó las sandalias y las colocó al lado de la espada.

—Las voy a meter bajo la roca. Cuando Teseo haya crecido, tendrá fuerza para mover la piedra, y entonces irá a Atenas con la espada al cinto y las sandalias puestas. En cuanto lo vea sabré que es mi hijo.

Los seis hombres pusieron un tronco de árbol a un lado de la piedra y, uniendo sus fuerzas, la levantaron lo suficiente para que Egeo pudiera meter debajo las sandalias y la espada.

Pasaron los años. Teseo creció fuerte y hermoso, y se convirtió en un hábil atleta, bien adiestrado en las artes marciales.

—Tengo que ir a buscar a mi padre y a ocupar mi sitio como hijo legítimo del rey de Atenas —dijo un día a su madre.

Etra se disgustó, pero sabía que no podía oponerse. Así, pues, lo acompañó hasta la gruesa roca de que tantas veces le había hablado. El joven sabía lo que tenía que hacer y no necesitaba ayuda de nadie. Se acercó a la enorme piedra y, empujándola lateralmente, logró levantarla lo suficiente para poder sacar la espada y las sandalias de su padre. Luego se despidió de su madre y se dirigió hacia Atenas.

El camino que había elegido estaba lleno de peligros e infestado de monstruos y salteadores. En seguida comenzaron sus aventuras. Llegó a un valle cuyos habitantes estaban aterrorizados y los pastores no se atrevían a llevar sus rebaños a pacer. Sinis, un monstruoso gigante que vivía en las colinas de los alrededores, descuartizaba a sus víctimas colgándolas de la cima de los árboles que previamente ataba juntos y luego soltaba entre horrísonas carcajadas.

—¡Ayúdanos! —le dijeron a Teseo los habitantes del lugar—. Ha corrido la voz de que eres un guerrero fuerte y valeroso.

Teseo, pues, luchó con él, lo venció y lo hizo morir por el mismo sistema que él empleaba con sus víctimas. Prosiguió luego el viaje y pronto llegó al camino que bordeaba el mar desde Mégara hasta Atenas. Poco después, el camino empezaba a trepar por un alto acantilado. En la parte más alta, donde el viento soplaba y gemía al unísono con el grito de las gaviotas que volaban por los alrededores, una figura gigantesca le cortó el paso. Había salido de repente de una abertura que había en la roca.

—¡Inclínate ante el poderoso Escirón! —le ordenó el hombre, y su voz resonó de roca en roca—. Nadie puede pasar por aquí sin permiso y sin haber pagado un tributo. Todo el que pasa tiene que humillarse ante mí y, si no se arrodilla a lavarme los pies, no puede proseguir.

—Yo no rindo homenaje a ningún hombre que no sea capaz de vencerme en combate. Sólo entonces reconozco su superioridad —respondió Teseo, adelantándose sin temor.

Escirón apareció en toda su desmesurada altura y Teseo desenvainó la espada. Durante un momento se quedaron inmóviles mirándose a la orilla misma del precipicio. Escirón no tenía armas, pero su fuerza era inmensa, y en altura superaba con mucho al joven.

Teseo dio un salto hacia adelante con la punta de la espada dirigida hacia su adversario. Este se inclinó hacia un lado, pero Teseo leyó en sus ojos una expresión astuta y se preparó para esperar un movimiento falso. En efecto, Escirón se echó al suelo y golpeó al joven ateniense en las piernas, con intención de hacerle perder el equilibrio y precipitarlo por el acantilado. Sólo un gran atleta como Teseo podía hurtarse a aquel movimiento. Con la velocidad y la agilidad de una pantera se echó a un lado y al mismo tiempo agarró a Escirón por un tobillo apretándoselo como en un torno. Luego, reuniendo todas sus fuerzas, lo despidió más allá del límite del sendero, despeñándolo por el acantilado.

En el pueblo vecino la gente se puso muy contenta y bailaba por las calles porque habían oído el alarido de Escirón al hundirse en la muerte. Durante muchos años, los viajeros se vieron obligados a arrodillarse ante el gigante para lavarle los pies. Y aunque lo hacían, no

por ello se libraban de una trágica muerte, porque luego los arrojaba al mar de un puntapié, para que los devorase una enorme tortuga que vivía en aquellas aguas. Ya nadie se atrevía a pasar por el sendero.

No había recorrido aún mucho camino, cuando Teseo se detuvo ante Cercion. Era Cercion un hombre gigantesco y un fuerte luchador, que desafiaba a luchar con él a todos los que pasaban cerca de su casa, y los apretaba entre sus brazos hasta hacerlos morir. Hasta entonces le había bastado su fuerza, pero no sabía que iba a encontrarse frente a frente con alguien que había aprendido y estudiado el cuerpo a cuerpo como un arte. Fue Teseo el primero en darse cuenta de que la inteligencia y la agilidad unidas pueden prevalecer sobre la fuerza bruta.

Teseo aceptó el desafío. Entre los asistentes al encuentro estaba también Deméter, la hermana de Zeus. Los dos hombres se pusieron uno frente a otro, se cuadraron, pero cuando el pesado gigante hizo un movimiento para afe-

rrar a Teseo, éste, nadie sabe cómo, desapareció. Desconcertado, Cercion miró a su alrededor y, mientras se daba la vuelta, sintió que le inmovilizaban las piernas. Un segundo después agitaba inútilmente los brazos en el aire: fue lanzado con tal ímpetu, que se estrelló contra el suelo y la muerte fue instantánea.

Antes que acabara su viaje, Teseo tuvo que combatir aún otra batalla. Se trataba de eliminar a Procrustes, un bandido aparentemente cordial, que ofrecía hospitalidad a los peregrinos que se acercaban al templo de Delfos en Eleusis. Procrustes solía acoger con buen vino a los peregrinos cansados y luego les enseñaba el lecho que les había preparado. Agradecidos por el descanso ofrecido, aceptaban y, apenas se colocaban en el lecho, Procrustes abandonaba el papel de huésped sonriente. Si el pasajero era demasiado largo para el lecho, de un tajo le cortaba lo que sobresalía de las piernas; si era demasiado corto, ordenaba a los miembros de su banda que lo estirasen en un potro hasta que llegase a la medida exacta del lecho.

Procrustes entretuvo a Teseo con su cordialidad habitual; sin embargo, cuando iba a infligirle el tratamiento reservado a los que eran demasiado largos para el lecho, Teseo rechazó violentamente de una patada la mano que empuñaba la espada y, mientras Procrustes intentaba recogerla, se abalanzó como un tigre sobre él y lo estranguló con la sola fuerza de sus manos.

Entre tanto, Teseo se había acercado a Atenas. Pero ni siquiera allí habían terminado las dificultades que el joven debía afrontar. Medea, abandonada por Jasón en Corinto, se había retirado con su hijito a Atenas y ahora temía que el joven Teseo quisiera ocupar en la corte el lugar que ella había pensado para su hijo. Decidió, pues, ser la primera en darle la bienvenida, pero dio instrucciones a sus criados para que le ofrecieran una copa de vino fresco, donde previamente, y sin saberlo nadie, había echado un veneno mortal.

Iba ya Teseo a llevarse la bebida a los labios cuando se oyó un rumor de pasos que procedían de un patio interior. Las grandes puertas de madera de la antecámara se abrieron de par en par, y en el umbral apareció Egeo en toda su majestad. Medea, aterrorizada ante la idea de ser descubierta, se precipitó a arrancar la copa de las manos de Teseo.

Egeo reconoció la espada y las sandalias que había dejado hacía mucho tiempo bajo la gruesa piedra de Trecén, y abrazó a su hijo. Los atenienses hicieron fiesta durante varios días.

El rey había visto la expresión de los ojos de Medea, e imaginando lo que pasaba, la obligó a dejar la ciudad junto con su hijito y volver al reino de su padre de la Cólquide.

Por la época en que llegó Teseo, vivía en Atenas un primo suyo llamado Dédalo. Los otros hijos de los príncipes atenienses eran guerreros y cazadores, y todos los admiraban por su habilidad en el manejo del arco y de la lanza y por su fuerza física. Dédalo no se preocupaba de tales cosas; amaba el arte y era conocido como un excelente escultor, arquitecto e ingeniero.

Tenía Dédalo en Atenas muchos talleres donde trabajaban sus aprendices. Uno de ellos era su sobrino Talo, una joven promesa. Dédalo no estaba acostumbrado a tener competidores y, al principio, se limitó a encontrar defectos en sus trabajos, pero, cuando se dio cuenta de que era capaz de inventar objetos y herramientas, se irritó sobremanera. Fue también Talo quien inventó la rueda de alfarero y la primera sierra rudimentaria a imitación de la mandíbula de la serpiente.

Por aquel tiempo, Talo y su tío Dédalo estaban trabajando en la Acrópolis, en la parte alta de la ciudad. No ha llegado a saberse lo que sucedió, pero el caso es que una tarde el joven desapareció y no volvieron a encontrarlo. Dédalo, cuya envidia hacia su sobrino era sobradamente conocida, fue acusado de haberlo despeñado desde una roca.

—Ha sido un accidente —explicó Dédalo—. Mientras Talo caía, la gran diosa Atenea, movida de piedad, lo ha transformado en una perdiz que ha comenzado a volar por los bosques hacia la colina de Ares.

El cuerpo del joven no fue encontrado nunca, lo que parecía confirmar las palabras de Dédalo, aunque su relato fue acogido con mucho escepticismo. Dédalo fue citado ante el Tribunal del Areópago, que generalmente se reunía en la cumbre de la colina de Ares, al otro lado del valle, frente a la Acrópolis. Como no lograse convencer al tribunal, fue desterrado para siempre de Atenas.

Salió con su hijo Ícaro y navegó hacia Cnosos, una ciudad de la isla de Creta, de donde era rey Minos, quien lo acogió con todos los honores, porque su fama de escultor e ingeniero había llegado también a aquellas islas.

Pero ninguna de sus construcciones llegó a ser tan famosa y admirada como el Laberinto de Cnosos, una maraña inextricable de paredes altísimas que ocupaba varias hectáreas de terreno. El diseño era tan complicado, que nadie lograba encontrar el camino de salida entre aquellos pasillos tortuosos. Fue construido para el Minotauro, una espantosa criatura que había nacido de la unión de Pasífae con un toro blanco. Era el Minotauro un monstruo mitad

hombre y mitad toro, que vivía en el centro del laberinto y sólo se alimentaba de carne humana. Se decía que nadie podía sobrevivir a la furiosa embestida de sus cuernos.

Para saciar su hambre, todos los años le sacrificaban siete muchachos y siete muchachas de las ciudades dominadas por el rey cretense. Atenas debía pagar su terrible tributo cada nueve años, y le tocó el turno muy poco después de la llegada de Teseo. Él se ofreció voluntario a dar su vida, si era necesario, aunque estaba decidido a venderla cara.

La nave que transportaba las víctimas a Creta llevaba la vela negra en señal de luto, tanto a la ida como a su trágico regreso. Pero aquella vez Teseo esperaba volver victorioso.

—Si tengo éxito —dijo a su padre—, lo sabréis porque la nave traerá la vela blanca, y así podréis preparar los festejos.

—¿Y si las noticias no son buenas?

—No sucederá así, pero en tal caso la nave traerá la vela negra, que naturalmente es el color del dolor.

Así, pues, zarparon Teseo y sus compañeros. En cuanto llegó a Creta, sus ojos y su porte conquistaron el corazón de la joven Ariadna, la hija del rey, que decidió hacer lo que fuera para salvarlo. Sabía que Teseo era primo de Dédalo, y entonces se dirigió inmediatamente a él para buscar ayuda. Pero Dédalo tenía miedo.

—Me han expulsado injustamente de mi tierra —dijo—. ¿Por qué voy a exponerme a incurrir en la cólera del rey que me ha tratado como amigo?

—Mi padre no sabrá nunca que he venido aquí —dijo Ariadna.

—Bueno, te ayudaré. Pero no se lo digas a nadie, ni siquiera el día de tu muerte. ¿Lo juras?

—Lo juro en nombre de todos los dioses —respondió Ariadna.

Así, pues, Dédalo le dijo que el feroz Minotauro podía ser vencido por un hombre valiente y dispuesto a luchar. Muchos se habían dejado dominar por su aspecto monstruoso y su mala fama. Sólo se le podía matar atravesándole el cerebro con uno de sus afilados cuernos, pero el modo de hacerlo, el pacífico Dédalo no lo sabía. Sabía, en cambio, cómo poder salir del laberinto. Dio a Ariadna un ovillo de hilo de seda; Teseo no tendría que hacer más que atar una punta del hilo a la entrada e ir devanando el ovillo a medida que avanzara por entre los

meandros y los difíciles pasadizos hasta llegar al centro, donde el Minotauro aguardaba su presa. Si sobrevivía a la lucha, no tendría más que volver a enrollar el hilo y se encontraría en el exterior.

El día establecido para el sacrificio de las vidas humanas, Ariadna fue con Teseo y sus compañeros hasta la entrada del laberinto. En cuanto entraron, la misma joven ató un cabo del hilo al dintel de la puerta y dejó el ovillo en el suelo de modo que Teseo pudiese ir devanándolo como Dédalo le había enseñado.

—Esperadme aquí —dijo Teseo—. Es un trabajo que quiero intentar yo solo. Si dentro de una hora no he vuelto, es que he fracasado en la prueba, y entonces salvaos como mejor podáis. ¡Que los dioses nos asistan!

Se alejó llevando consigo el hilo de seda e intentando hacer el menor ruido posible. Pronto las paredes lo escondieron a la vista. Los otros, pálidos y silenciosos, se quedaron esperando en la oscuridad, cerca de la puerta de entrada.

Ángulo tras ángulo, pasillo tras pasillo, el hilo iba desenrollándose en una línea sin fin. Las altas paredes amenazaban caerse sobre él. Un pataleo continuo de pezuñas le hizo comprender que casi había llegado. Anduvo aún con más precaución y preparó la espada. Aun sabiendo que la espada no le serviría de gran cosa para matar al Minotauro, le daba confianza llevarla consigo.

De pronto las paredes se abrieron en un espacio circular. Todo estaba inmóvil, silencioso como una noche profunda, pero Teseo sentía que detrás de aquella barrera dos ojos malvados estaban observándolo al acecho.

Luego, con un poderoso mugido, el Minotauro se lanzó afuera, la cabeza baja, dispuesto a embestir. Los cuernos brillaban a la luz del sol y el potente cuerpo del monstruo les daba un aspecto de muerte. Teseo, inmóvil como una roca, estaba preparado.

Justo en el momento en que parecía que nada podría salvarlo, el joven dio un salto hacia un lado y, desembarazándose de la espada, agarró firmemente uno de los cuernos del toro. Con sus fuertes manos de luchador empezó a retorcer su presa; se oyó un ruido seco, parecido al que hace una rama de encina cuando se desgaja del árbol durante una tempestad, y el cuerno quedó desarraigado de su concavidad. Más furioso que nunca, el monstruo se volvió

para embestir de nuevo al agresor, pero, antes de que adquiriese velocidad, Teseo, sirviéndose del cuerno como de un venablo, se lo clavó en la frente con toda su fuerza. El Minotauro se derrumbó, herido mortalmente con la misma arma con que había aniquilado tantas vidas humanas.

Ahora Teseo no tenía tiempo que perder; había que volver con rapidez, siguiendo el hilo de Ariadna, hasta donde lo esperaban los otros, para dejar la isla antes de que Minos se enterase de que lo habían engañado. Los guardias, pensando que su tarea ya había terminado, estaban dormitando en sus puestos, y la ciudad aún yacía sumergida en el sueño. Los jóvenes llegaron al puerto, donde estaba anclada la nave, y zarparon llevándose consigo a la princesa.

Fue sólo cuestión de tiempo, y Minos supo lo que había sucedido. Si la muerte del monstruo podía al fin y al cabo ser acogida con alivio, la pérdida de los prisioneros y de su amada hija era un insulto mortal. Tal como Dédalo había temido, comprendió que sólo una persona podía haber ayudado a Teseo a salir del laberinto: el constructor mismo. Pero como quería que Dédalo siguiera trabajando para él, mandó encerrarlo en el laberinto junto con su

hijo Ícaro y todo lo que necesitaba para su trabajo. La entrada fue cerrada y vigilada noche y día. Parecía que no había posibilidad alguna de fuga, y ciertamente no la hubiera habido para un hombre común. Pero Dédalo tenía un plan.

Con un palo y una correa de cuero se hizo un arco, y con él mató dos águilas que volaban por encima de ellos. Con sus plumas hizo unas alas para él y para su hijo, fijándolas a un ligera armadura y pegándolas con cera. Cada ala podía sujetarse a los hombros con unos sencillos tirantes.

—Ahora podemos volar como águilas —dijo Dédalo—. Pero hay que esperar a la mañana, poco antes del cambio de guardia. Después de la larga vela nocturna los soldados estarán cansados y no prestarán mucha atención.

Al día siguiente, poco después de que el Sol hubiera salido por el mar de oriente, se pusieron las alas y levantaron el vuelo sobre el laberinto. Los hombres de Minos se dieron cuenta demasiado tarde, cuando ya los fugitivos estaban fuera del alcance de sus flechas.

Dédalo e Ícaro volaron hacia el norte, hacia las islas del Mar Egeo, con idea de poder hacer una parada si se sentían cansados.

—El Sol alcanzará pronto su máxima intensidad de calor, así que no vueles demasiado alto porque podría derretirse la cera que une las plumas —recomendó Dédalo a su hijo.

Durante una hora o más Ícaro obedeció a su padre, pero luego la embriaguez del vuelo le hizo creer que podía volar como un águila. Comenzó a subir sin hacer caso de los gritos desesperados de su padre, que le ordenaba bajar. Él seguía subiendo, subiendo, cada vez más arriba, hacia el Sol. La luz se hacía más luminosa, el aire a su alrededor más ardiente, Dédalo estaba lejos.

De pronto se desprendió una pluma, pero Ícaro no hizo caso; luego se desprendió otra, y otra, y otra. Demasiado tarde se dio cuenta de que la advertencia de su padre se estaba realizando: la cera se iba derritiendo y ahora el viento se iba llevando de los hombros de Ícaro un número cada vez mayor de plumas. Dédalo volvió hacia atrás para ayudarlo, pero se vio en la imposibilidad de detenerlo en su veloz caída. Bajaba, bajaba, y con un último grito Ícaro acabó en el mar, donde se hundió.

Dédalo prosiguió solo su viaje. Estaba triste, cansado, y hacía frecuentes paradas en las islas

del mar de Grecia. En Grecia no fue acogido con entusiasmo, y además sabía que Minos era vengativo y habría ido a buscarlo.

Al fin, decidió seguir hasta Sicilia, y durante años vagó sin rumbo por el Mar Mediterráneo. Nadie sabe con exactitud dónde acabó sus días.

Teseo y Ariadna zarparon felices de Creta. El joven no sólo había librado a su pueblo de la amenaza del Minotauro, sino que había descubierto que estaba enamorado de Ariadna, quien por su parte también estaba enamorada de él. Pasaron muchos días juntos, hablando de los proyectos futuros y de la gran alianza que podría surgir entre sus reinos. Pero una noche, Teseo, mientras estaba durmiendo en el puente de la nave, tuvo un sueño que convirtió su alegría en tristeza. En el sueño se enteró de que Ariadna estaba prometida como esposa al dios Dioniso y que él no podría casarse con ella. En aquel tiempo, todos los sueños de este tipo eran considerados como verdaderas profecías, y Teseo jamás se hubiera atrevido a luchar contra el destino, por amargo que pudiera parecerle.

Poco después, la nave llegó a la isla de Naxos y todos bajaron a tierra. A la mañana siguiente, muy rápido, Teseo partió con el corazón despedazado, dejando a Ariadna dormida sobre la playa. Como el sueño había predicho, la joven se convirtió en seguida en esposa de Dioniso.

La nave estaba acercándose ya a la costa griega. Día tras día, el rey Egeo se quedaba aguardando en la Acrópolis, con la esperanza de ver avanzar la vela blanca, señal de que su hijo estaba vivo. Pero Teseo, dolorido por la pérdida de Ariadna, había olvidado la promesa, y la vela negra, símbolo de muerte, ondeaba al viento en la nave que llevaba a Teseo a su patria. Egeo fue el primero que la descubrió en el horizonte, e incapaz de sobrevivir a tal pérdida se suicidó.

Teseo llegó a ser rey de Atenas y fue un rey bueno y sabio. Sus ejércitos rechazaron una invasión de las Amazonas, y su reina, Hipólita, se convirtió en su mujer. Fue amigo de Hércules y lo hospedó después de que, en aquel arrebato de locura que le envió Hera, matase a su mujer Mégara y a sus hijos. También se dice que Teseo descendió al Hades con su amigo Pirítoo, para pedir en matrimonio para éste a Perséfone o raptarla, y quedó prisionero, sentado en la silla del Olvido y encadenado con anillos de serpientes, hasta que Hércules bajó a liberarlo.

Con el correr de los años, Teseo fue desterrado de Atenas y dicen que fue asesinado en la isla de Esciros. Después de las guerras persas, un oráculo habló de un hombre gigantesco sepultado en Esciros. Las sandalias y la espada revelaron a los buscadores que se trataba de Teseo, y sus restos fueron devueltos a Atenas, la ciudad que él había amado tanto.

En el libro VII de las *Metamorfosis* hay un himno en alabanza de Teseo, que resume sus hazañas así:

«Tú eres fortísimo, Teseo, que libertaste la llanura de Maratón del toro que la asolaba. Don y hazaña tuya es el que los colonos de Corinto aren con seguridad los campos de Cromión, libres por ti de la fiera que los infestaba. Epidaura fue testigo de la victoria que ganaste sobre aquel monstruo hijo de Vulcano; el río Cefiso vio perecer al cruel Procrustes, y Eleusis te debe la derrota del famoso Cercion; tú quitaste la vida al feroz Sinis, tan temible por aquella fuerza que empleaba solamente en oprimir la inocencia; el cruel torcía los árboles y bajaba desde lo alto a la tierra los pinos que habían de desmembrar a los miserables que ataba a ellos; después de la muerte de Escirón se puede ir con seguridad a Mégara, cuyo camino tenía sitiado. La tierra negó su seno a los huesos de ese malvado; el mar los arrojó fuera, y el aire a que quedaron expuestos, habiéndolos petrificado, los transformó en peñascos, quedándoles el nombre de Escirón. En fin, si quisiéramos contar tus hazañas, hallaríamos que exceden a tus años.»

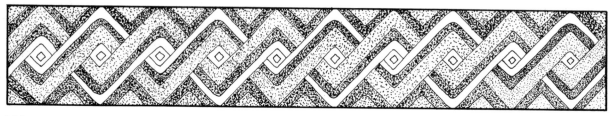

Orfeo y Eurídice

Si Apolo fue el más grande músico de entre los dioses, Orfeo fue el mejor de todos los mortales. La música de la lira de Orfeo hizo adormecerse al dragón que custodiaba el vellocino de oro y salvó a los Argonautas de la seducción mortal de las Sirenas. Por consiguiente, su fama se había esparcido por toda Tracia, la tierra donde reinaba su padre.

Orfeo fue también poeta y cantor. En la corte lo escuchaban fascinados mientras cantaba las grandes sagas y epopeyas del país, acompañándose con su instrumento. A veces se iba por los campos, y con su música atraía a los pájaros y a los animales del bosque. Y no sólo a los animales: cuando Orfeo tocaba, acudían a oírle los árboles y las piedras, y hasta los ríos detenían su curso para escucharlo.

Fue durante uno de aquellos paseos por el bosque cuando se encontró con la bellísima dríade Eurídice y se la llevó al palacio para casarse con ella.

Las dríades eran ninfas de los bosques y de los árboles. Y así, cuando Eurídice se cansaba de la agitada vida de la corte, iba a visitar a sus compañeras de otrora. Se sentaban en la hierba y Eurídice les contaba cosas de su extraña vida en la ciudad, donde había calles empedradas en lugar de senderos de hierba, casas y templos de piedra en lugar de espesuras y árboles. Si iba con ella Orfeo, entonces las ninfas cantaban y bailaban al son de su música.

Otras veces, Eurídice paseaba sola y gozaba con la luz que se filtraba entre las hojas de los árboles y el canto de los pájaros. De cuando en cuando se inclinaba para coger violetas o flores malvas de ciclamen y hacía guirnaldas que se ponía en los cabellos. A veces se paraba a la orilla de un arroyo a mirar las mariposas que danzaban en parejas sobre la superficie del agua. En invierno le agradaba oír el ruido bajo sus pies de las hojas que caían y acariciar la rugosa corteza de los árboles.

A veces nevaba en aquella parte de Grecia. Entonces Eurídice podía seguir las huellas de los conejos, de las liebres, de los ciervos y de los animales más grandes que iban persiguiéndolos. Todo era blanco a su alrededor. Los bosques familiares adquirían un aspecto extraño, pero más bello aún. Todo estaba en silencio: hasta los pájaros dejaban de cantar. Pero, si en medio de aquella quietud un ligero soplo de viento hacía deslizar la nieve de las ramas desnudas hasta el suelo, Eurídice se ponía nerviosa.

Un cálido día de verano estaba observando un cervatillo que pa-

cía en un claro, cuando de pronto lo vio enderezar las orejas y huir. Un hombre alto, al que Eurídice no había visto hasta entonces, se acercaba a grandes pasos. Era un hombre hermoso, pero tenía en los ojos una expresión que a la ninfa no le gustó. Llevaba arco y flechas y, cuando la vio, se detuvo.

—He oído hablar de las ninfas del bosque de Tracia, pero tú eres la primera que veo —dijo—. Si eres una de ellas, hay que reconocer que lo que dice la gente de su belleza es verdad.

Eurídice no era vanidosa y no le gustaba sentirse adulada por un extraño.

—Muchas gracias, caballero —dijo—, pero te sugiero que continúes tu camino, porque no quiero que me molesten.

—Serás hermosa, pero los dioses te han dado una lengua bastante fea —respondió el hombre—. Si quieres librarte de mí, dime hacia dónde se ha ido el cervatillo que venía persiguiendo. Tienes que haberlo visto porque ha pasado por aquí.

—No, señor —dijo, moviendo la cabeza—. No puedo decirlo. Era demasiado hermoso para morir.

—Eres una ninfa —dijo el hombre, ceñudo—, pero ni la ninfa más bella se atreve a provocar a un dios. ¡Por todos los rayos y truenos, te ordeno que me lo digas!

—Serás un dios, aunque me resisto a creerlo a juzgar por tu comportamiento —respondió la joven obstinadamente—, pero cuidado con lo que dices, porque mi marido es el hijo del rey y quiere que su esposa sea respetada.

El forastero rompió en una carcajada.

—¡La esposa de Orfeo, el poeta y cantor! He oído decir que le gusta la música más que la lucha. ¿Y me amenazas diciéndome su nombre? Decididamente no sabes quién soy yo.

—No, señor. Ni lo sé ni quiero saberlo —respondió Eurídice con mucha calma.

—Pues te lo diré de todos modos. Quiero humillar tu orgullo como debe ser. Soy Aristeo, el dios de los cazadores.

—Entonces deberías ser más amable. ¿No eres hijo de la náyade Cirene? He oído hablar de la historia de su rapto y del hijo que tuvo de Apolo.

—¿Amable? Sí, mi madre era amable, pero yo he aprendido de mi padre Apolo a coger lo que deseo.

El hombre hizo una pausa y luego, acercándose a ella, añadió:

—¡Ven aquí! Quiero un beso de la mujer de Orfeo. Quiero ver si luego se atreve a desafiarme.

Eurídice, aterrorizada, se dio la vuelta y comenzó a huir entre los árboles, escondiéndose a derecha e izquierda. Las ramas bajas le rozaban el rostro y, donde la vegetación era menos tupida, las zarzas se le enganchaban en la túnica como si quisieran retenerla. La vida de cazador había acostumbrado a Aristeo a correr con igual velocidad: Eurídice lo sentía a sus espaldas.

La persecución continuó a través de claros musgosos y arroyos de agua, en donde los peces nadaban sin que nadie los molestase. Eurídice llevaba el corazón en la garganta de tanto como le latía, pero le pareció que había conseguido distanciarse de su perseguidor. Ahora que el terreno comenzaba a subir y había menos árboles, los pasos de Aristeo se hacían menos rápidos.

La ninfa siguió trepando por la pendiente rocosa iluminada por el sol. El ruido de los pasos del hombre había cesado. No completamente segura aún, subió hasta la cumbre y se dejó caer exhausta sobre una roca. Debajo de ella veía las copas verdes de los árboles. Necesitaba descansar.

Ya no se veía a Aristeo. El mundo parecía haber recobrado su paz; Eurídice se durmió al sol.

Pero no estaba sola. Allí cerca había otra amante del sol: la víbora mortal. Se movía lentamente por el terreno caliginoso, mientras su lengua bífida relampagueaba. En su sueño, la ninfa se movió y con una pierna cortó el paso al reptil. Silbó la víbora y se enroscó en seguida sobre sí misma con la cabeza erguida para atacar. Sus dientes se hundieron profundamente, extendiendo el terrible veneno, que en poco tiempo surtió efecto.

Llegó la noche y Eurídice aún no había vuelto al palacio. Al principio, Orfeo no se preocupó mucho, porque Eurídice solía quedarse largo tiempo en los bosques y nunca le había pasado nada. Pero a medianoche, Orfeo envió a unos guardias a buscarla. La encontraron a las primeras luces del alba. Piadosamente pusieron su cuerpo en unas angarillas que tejieron de prisa con ramas de pino.

Orfeo estaba inconsolable. De nada sirvieron las palabras de los que intentaban consolarlo. Se retiraba a todas horas y tocaba tristísimas melodías.

Aristeo se había equivocado al juzgar a Orfeo. Orfeo era valiente, bastante más valiente que muchos otros, y quizá la desesperación por la pérdida de su mujer le proporcionó un valor aún mayor: decidió bajar al Hades y traerla otra vez al mundo de los vivos. Todos lo disuadieron.

—Eso no hay que pensarlo ni en sueños —le dijo su padre—. Los muertos están muertos y los vivos están vivos. Estás loco si piensas que podrás cambiar la voluntad de los dioses. Los que entran en el más allá no pueden volver.

Pero Orfeo se fue. Llevaba como únicos compañeros su lira y el pensamiento de encontrar a Eurídice. Viajó hasta el norte, bordeando el Mar Jonio hasta que llegó a la Estige. Caronte estaba sentado en su barca en espera de su próximo cargamento de muertos.

Orfeo sabía que no era fácil conseguir que lo transportara al otro lado, pero confiando en el poder mágico de su música empezó a tocar. Una insólita sonrisa iluminó el severo rostro del barquero: y es que muy pocos quedaban insensibles ante aquella melodía, y Caronte sufrió también su fascinación.

—No puedo negarle nada a alquien que toca como tú —le dijo—. Aunque sé que tendré que pagarlo en cuanto mi señor se entere de lo que he hecho.

En la orilla opuesta estaba el otro guardián, Cerbero; pero también a él lo amansó la música de Orfeo, y lo dejó pasar lo mismo que Caronte.

Finalmente, Orfeo fue llevado a presencia de Perséfone, la reina del reino de los muertos. Antes de hablar, Orfeo tocó una vez más su instrumento, y las sombras de los muertos se fueron colocando a su alrededor. Perséfone, ablandada por la melodía y conmovida por su historia, decidió permitir a Eurídice que volviera al mundo de los vivos.

—Pero con una condición —dijo a Orfeo—. Ella te seguirá, mas si te vuelves a mirarla antes de haber llegado a la luz del día, volverá para siempre a nuestro mundo.

Llegó la joven ninfa y los dos se abrazaron felices. Perséfone experimentó alguna duda respecto a su decisión, pero no cambió de idea.

La travesía de la Estige fue fácil, y así pronto comenzaron los dos a remontar el estrecho pasadizo que conducía a la superficie de la tierra. Orfeo no se volvió nunca, aunque por momentos aumentaba en él el deseo de comprobar si los pasos que lo seguían eran los de su mujer y no se trataba de un engaño. Subieron y subieron, y ya a lo lejos empezaba a vislumbrarse la luz del sol.

Unos pocos pasos más, y ya Orfeo estaba al final de la galería subterránea: el calor del sol lo calentaba, y se sintió inundado de una inmensa alegría. Lo que parecía un sueño se había hecho realidad; y entonces se dio la vuelta

para tener, al fin, a Eurídice entre sus brazos. Vio que la joven venía hacia él por la galería aún sumergida en las tinieblas y, mientras la observaba, le pareció que se desvanecía y luego desapareció. Volvió hacia atrás, pero ya era demasiado tarde: Eurídice había desaparecido en el mundo de los muertos y la había perdido para siempre.

Pasaron los años y Orfeo murió despedazado por las bacantes. Ovidio cuenta que su muerte la sintieron las aves, las fieras y peñascos, y hasta las selvas, que tantas veces habían acudido al son armonioso de su lira, le lloraron con amargas lágrimas. Los árboles, despojados de sus hojas; los ríos, crecidos con las lágrimas que derramaron; las náyades y dríades, vestidas de luto y esparcidos los cabellos, también fueron sensibles a su muerte. Y concluye Ovidio: «La sombra de Orfeo bajó al infierno y, después que reconoció todos los lugares que había visto en otro tiempo, pasó a los Campos Elíseos, y, encontrando a su amada Eurídice, la abrazó con la mayor ternura. Desde este momento, no se separan un punto; unas veces se pasean juntos; otras, la deja ir delante, y otras, la precede él; pero seguro siempre de que, aunque vuelva el rostro para mirarla, no la volverá a perder.»

La historia de Aríon, otro famoso músico y cantor, tiene un final más alegre. Aríon era hijo de Posidón, pero vivía en Corinto, en la corte del rey Periandro. Como Orfeo, sabía tocar la lira muy bien y lo llamaban a tomar parte en todas las celebraciones musicales más importantes de Grecia.

Aquellas celebraciones tenían generalmente lugar en el interior y en las ciudades más importantes, como Atenas, Micenas, Tebas, localidades éstas a las que podía llegarse en pocos días de viaje. Una vez fue invitado a participar en Sicilia en un interesante encuentro de todos los mejores cantores. Aunque para él significaba arrostrar un largo viaje por mar, Aríon decidió ir a la isla.

Al fin de las fiestas fue elegido vencedor. Le hicieron muchos elogios y lo cubrieron de regalos: joyas, ornamentos de oro y plata, mantos ricamente confeccionados, vajilla decorada por los más famosos artistas de la época...

Luego lo cargó todo en la nave que debía llevarlo a su patria. Durante dos días navegaron hacia el oeste, pero al tercer día los hombres de la tripulación lo cogieron por la fuerza mientras estaba en el puente y lo llevaron ante el capitán. Éste era un canalla, un hombre violento dispuesto a todo.

—He pensado que nosotros podríamos hacer mejor uso de tus tesoros —dijo, sacando de la cintura el puñal y pasando el dedo gordo por la hoja para verificar su filo.

Aríon se dio cuenta de que no tenía posibilidad alguna de resistir y quiso demostrar que no tenía miedo a la muerte.

—Bueno, si tengo que morir —les dijo—, dejad que lo haga a mi modo.

El capitán se encogió de hombros. No le importaba cómo aquel hombre decidiría poner fin a sus días, y permitió que lo llevasen hasta la proa de la nave. Allí Aríon tocó sus últimas notas de desafío antes de arrojarse al mar. Pero los marineros y el capitán estaban demasiado ocupados en apoderarse del tesoro para darse cuenta de que un delfín había aparecido para salvarlo y, a caballo sobre él, llevarlo velozmente hasta Corinto.

La nave llegó al puerto unos días después, y el capitán contó con mucha convicción que el pasajero procedente de Sicilia había acabado en el mar con todas sus pertenencias durante una tempestad. Aún no había terminado de contarlo cuando se dio cuenta con gran estupor de que justamente aquel pasajero estaba aproximándose hacia él.

Aríon no dijo nada, pero seguido por los hombres del lugar subió a la nave a buscar el tesoro que había obtenido como premio. El capitán y todos los marineros fueron encadenados, y los cajones fueron llevados a palacio.

En seguida Aríon colocó a la orilla del mar una estatua que representaba a un hombre cabalgando en un delfín.

Eros y Psique

Eros, el hijo de Afrodita, era el dios griego del amor. En multitud de leyendas aparece representado como un niño, pero en la época de esta historia ya había crecido y se había convertido en un joven muy hermoso. Con su arco y su aljaba, siempre llena de flechas, tenía el poder de inocular el amor a los dioses como a los hombres. Cualquiera que fuese rozado por su flecha se enamoraba inmediatamente de la primera persona que veía.

—Dime, Eros —le dijo un día Afrodita—. ¿He envejecido? ¿Me han salido arrugas en la piel? ¿Hay hilos blancos en mis cabellos?

Eros se quedó turulato. No era el tipo de pregunta que esperaba de una mujer considerada como el símbolo mismo de la belleza, y que además lo sabía. No entendía la pregunta de su madre, pero respondió sinceramente:

—Nadie es más hermosa que tú y nadie lo será jamás. ¿Acaso el mismo Paris no relegó a Hera y Atenea al segundo lugar? ¿Pero a qué viene esta pregunta?

—No dudaba de tu respuesta —dijo Afrodita, sonriendo—, pero parece que la mortal Psique no está de acuerdo. He oído de fuentes autorizadas que pretende ser más hermosa que yo. Se jacta de ser como la luna y yo una estrella lejana que palidece ante el esplendor de sus rayos.

—Por lo menos se expresa poéticamente —observó Eros, aunque Afrodita no hizo caso de la observación.

—Hay que castigarla. Vete a buscarla y atraviesa su corazón con tu flecha, pero asegúrate de que cerca de ella haya algún ser horrible. Quiero que sufra por amor a la más abominable criatura del mundo.

Eros no estaba impaciente por llevar a cabo su misión: intentó convencer a su madre, pero al fin se vio obligado a ceder.

Cuando fue a buscarla, Psique estaba durmiendo en un prado, rodeada de flores, y quedó tan impresionado por su belleza que tropezó en una piedra y cayó junto a ella. La punta de una de sus flechas le arañó una pierna y, aun antes de que comprendiera lo que había pasado, descubrió que estaba perdidamente enamorado de ella.

Sabía que tenía que tener mucho cuidado. Afrodita no debía descubrir nada de su amor, y así decidió esconder su verdadera identidad, incluso a Psique. Aquella noche fue a verla.

—Nuestro amor será el más grande que nunca haya existido —le bisbiseó en la oscuridad—. Ven y seremos tan felices como no es posible imaginar.

—¿Pero quién eres tú para hablarme de ese modo? —le preguntó la joven, más fascinada que alarmada.

—No me preguntes eso. Todas las noches, cuando las aves rapaces comiencen a volar por el cielo oscuro, yo estaré contigo, pero no tendrás que mirar nunca mi rostro ni intentar descubrir mi nombre. Ten confianza en mí.

Y así, todas las noches Eros y Psique se amaban, y todas las mañanas, antes de que el sol saliera por el oriente, el joven se iba.

Pasaron los días y Psique recibió la visita de sus hermanas. Se escandalizaron un poco con la historia de la nueva vida de Psique, pero en el fondo la envidiaban.

—También podías haberle echado una miradita rápida siquiera con el rabillo del ojo —dijo una de las hermanas.

—Yo no podría soportar no saber quién es —añadió la otra.

—A lo mejor es un monstruo horrible con siete cabezas —la acosó de nuevo la primera.

—¡O tiene cuernos como una cabra!

Horror tras horror, sus palabras salían descontroladas de su imaginación. Psique se limitaba a sonreír.

Sin embargo, aquella noche no conseguía librarse de las insinuaciones de sus hermanas. Sentía en su corazón que no podían ser verdaderas, pero, aunque no lo fueran, había deseado tantas veces ver a aquel maravilloso ser que venía a verla en la oscuridad... Hasta entonces había sido fiel a su promesa. Pero ¿qué mal habría en echar sólo una ojeada?

A la mañana siguiente se despertó antes del alba y de puntillas bajó a buscar una lámpara. Cuando Psique volvió, el joven estaba todavía durmiendo: levantó la luz, y lo que vio la colmó de felicidad, porque el joven era mucho más bello de cuanto había imaginado. ¡Cómo iba a burlarse de las dudas y sospechas de sus hermanas!

Eros se movió y aún en sueños se cubrió el rostro con un brazo. Psique tuvo miedo de que se despertase y, como no quería ser descubierta, apagó la luz a toda prisa, pero una gota de aceite hirviendo cayó sobre el brazo de Eros. El cual abrió inmediatamente los ojos y la vio.

Al joven se le ensombreció el rostro, pero no dijo nada; se levantó en silencio y dejó la estancia. Psique rompió a llorar.

Aquella mañana sus hermanas notaron que tenía los ojos enrojecidos y le hicieron varias preguntas sin recibir respuesta.

Llegó la noche, y ella se quedó sola en su lecho, escuchando todos los ruidos nocturnos. El más mínimo sonido la hacía sobresaltarse, pero luego se desvanecía en la nada. Se dio cuenta de que su enamorado no volvería.

Pasaron varios meses, tristes y largos meses, y Psique anduvo por el mundo buscándolo, hasta que, desesperada, se dirigió a Afrodita.

—Oh diosa del amor, tú puedes comprender mis sufrimientos —le suplicó—. He perdido el bien más precioso que tenía y sólo por mi curiosidad. Ayúdame, te lo ruego. Ya he sido bastante castigada por mi ligereza.

Los dioses no perdonaban fácilmente cuando habían sufrido alguna ofensa, y Afrodita no era una excepción.

—El joven que amas es mi hijo Eros. ¿Por qué va a amar un dios a una muchacha tan sosa como tú? Es posible que vuelva a ti, pero sólo si haces exactamente lo que yo te diga.

Psique asintió esperanzada, pero no sabía aún que las pruebas serían muy difíciles para una muchacha como ella. Como primera prueba, Afrodita la llevó a un granero, donde había un gran montón de trigo, centeno y cebada.

—¿Ves esta simiente? Tal como está no sirve para nada. Separa el trigo del centeno y de la cebada y haz tres montones separados. Cuando hayas terminado ven a verme.

Psique se sentó en el suelo y puso manos a la obra. Pero en seguida se dio cuenta de que aunque viviera mil años no sería capaz de terminarlo. Después de una jornada de trabajo se preguntó si no valía la pena confesar su incapacidad. De pronto algo atrajo su atención.

A la luz del último rayo del sol, que ya estaba poniéndose, vio avanzar por el pavimento un pequeño ejército de hormigas. Al llegar al montón de grano se dividieron en tres columnas: las hormigas del primer grupo se ocupaban del trigo; las del segundo, del centeno, y las del tercero, de la cebada. Apretando los granos entre sus minúsculas patitas, iban y venían hacia adelante y hacia atrás. Entre tanto, los montones empezaban a crecer. Ya muy entrada la noche terminaron y se fueron tan silenciosamente como habían venido.

Afrodita se enfureció cuando se enteró de que el trabajo había sido terminado en tan poco tiempo, y no podía comprender la razón. Ni siquiera Psique podía explicarse lo que había sucedido: ¿acaso Eros, compadecido, había enviado a las hormigas en su ayuda?

Afrodita, al ver el trabajo realizado, sospechó que no podía ser obra de sus mortales manos y le impuso una nueva prueba:

—¿Ves allá abajo —le dijo— aquel bosque, cuyos últimos arbustos se reflejan en las aguas del río? Allí pastan unas ovejas cuyos vellones brillan como el oro. Tráeme inmediatamente un mechón de aquella preciosa lana.

Afligida, Psique estaba decidida a arrojarse al río desde una roca para acabar con sus penas. Pero entonces, una caña verde le dijo desde el cauce del río:

—Psique, aunque sometida a tan crueles pruebas, no mancilles la santidad de mis aguas con tu muerte, pero no te acerques ahora a las ovejas: cuando reflejan los ardientes rayos del sol están rabiosas, y con sus acerados cuernos, su testuz de roca e incluso con sus mordiscos envenenados atacan a los mortales hasta matarlos. Espera a que caiga el sol y las ovejas descansen, y entonces te bastará sacudir las ramas de los árboles para encontrar la lana de oro, pues queda diseminada por el bosque enredada en la espesura.

Tampoco esta vez quedó conforme Afrodita, y le mandó una tercera prueba, más difícil todavía: traerle una jarrita de agua helada de una fuente tenebrosa, cuyas aguas negruzcas alimentaban la laguna Estigia y la estruendosa corriente del Cocito. La prueba era realmente imposible. La fuente estaba protegida por dragones, y hasta las mismas aguas, que sabían hablar, se defendían a sí mismas gritando sin parar. Pero el águila de Júpiter, que debía a Eros algunos favores, cogió la jarrita entre sus garras y, balanceándose sobre sus pesadas alas, exten-

didas como remos a derecha e izquierda, pasó entre los dragones, engañó a las aguas y consiguió la jarrita de agua para Psique.

Como última prueba, Afrodita la mandó descender al mundo de ultratumba para buscar un cofrecito lleno de amor. Psique se encontró a Orfeo de regreso de su trágico viaje, y por ello supo dónde estaba el estrecho pasadizo que conducía al Hades. No perdió tiempo y partió para su misión.

Como había sido enviada por Afrodita, Caronte y Cerbero la dejaron pasar sin hacerle preguntas, y muy pronto la joven fue llevada a presencia de la reina de los infiernos.

—Afrodita tendrá su cofrecito —dijo Perséfone, después de haber escuchado el relato—. Pero lo que contiene el cofrecito es sólo para ella. Ninguna otra persona debe abrirlo.

La diosa le entregó la arquita y la joven reemprendió el viaje de regreso. Mientras se acercaba al oscuro pasadizo para volver a subir, las palabras de Perséfone le daban vueltas en la mente. La tentación de ver lo que había dentro del cofrecito se iba haciendo cada vez más fuerte. Sólo de pensar en el poder que aquella arquita podía conferirle olvidó por completo que la curiosidad ya había arruinado su vida con Eros. Quizá pudiera reconquistar el amor de su enamorado.

Apenas llegó a la luz del sol, la joven levantó la tapa. En vez de amor, el cofrecito contenía sueño eterno. Psique se dejó caer sobre la hierba, cerró los ojos y se durmió. Zeus se apiadó de ella y la llevó al cielo junto a Eros. Y quizá sigue allí, tendida entre las flores, como cuando Eros la vio por vez primera.

La estatua de Pigmalión

Afrodita, la diosa del amor y de la belleza, era adorada por todos los habitantes de Chipre, porque en aquella isla había establecido su reino. El mismo rey de Chipre, el joven Pigmalión, dirigía las ceremonias en el templo. Además de ser sacerdote y rey, era también un magnífico escultor. Se decía que su obra superaba en habilidad incluso a la de Dédalo, el célebre constructor del laberinto.

Durante mucho tiempo, Pigmalión había buscado una esposa, cuya belleza correspondiera con su idea de la mujer perfecta. Fue una búsqueda descorazonadora porque a su alrededor no veía más que matrimonios desastrosos. Muchos de sus súbditos se habían casado con las Propétides, impúdicas mujeres que abandonaban a sus maridos para entregarse al primero que llegaba. Y no sólo eran infieles a sus maridos, conocidos como los Cerastas (= Cornudos), sino que los empujaban también a cometer acciones malas. Por ejemplo, en vez de sacrificar a la diosa el buey tradicional, como habían hecho siempre en el pasado, aquellos hombres mataban a sus huéspedes y los ofrecían en el templo.

La propia Afrodita se disgustó con su comportamiento, y estudió un castigo adecuado: a ellos los transformó en bueyes destinados a ser sacrificados, mientras sus mujeres fueron convertidas en piedras.

No es extraño que con ejemplos semejantes a la vista, Pigmalión dudase en su elección. Al fin decidió que no se casaría, y dedicaría todo su tiempo y el amor que sentía dentro de sí a la creación de las más hermosas estatuas. Ofrecería después sus obras maestras a Afrodita para reparar la ofensa de su pueblo.

Era tal la fuerza del sentimiento y de la inspiración cuando trabajaba el mármol, que su mano parecía guiada por un poder mágico. La primera estatua fue la de una joven tan perfecta y tan hermosa, que Pigmalión se enamoró de ella perdidamente. Su amor se acrecentaba día a día. Pero siempre seguía siendo al tacto una figura fría, de mármol.

Se acercaba la fiesta de Afrodita. Toda Chipre estaba en fiestas, y los habitantes de la isla llegaban de todas partes para traer al templo sus ofrendas. Pigmalión se arrodilló con ellos ante la diosa para suplicarle que diera vida a su estatua.

No recibió ningún signo de respuesta, pero durante el viaje de regreso se sentía extrañamente embriagado y tembloroso. En su taller, la estatua estaba fría e inmóvil como siempre. Lleno de desesperación, Pigmalión la abrazó y la besó con pasión, y luego, exhausto y decepcionado, cayó a sus pies y se durmió.

Hacia el amanecer comenzó a soñar: acababa de volver de la ceremonia y esta vez era todo totalmente distinto. Al tocarla había sentido fluir el calor de la vida por aquel blanco cuerpo de marfil, antes rígido y frío. Ahora la joven se movía, le tendía los brazos.

Ovidio poetizó así el mito en el libro X de las *Metamorfosis*:

«Pigmalión se dirigió a la estatua y, al tocarla, le pareció que estaba caliente, que el marfil se ablandaba y que, deponiendo su dureza, cedía a los dedos suavemente, como la cera del monte Himeto se ablanda a los rayos del sol y se deja manejar con los dedos, tomando varias figuras y haciéndose más dócil y blanda con el manejo. Al verlo, se pasma Pigmalión; se llena de un gran gozo mezclado de temor, creyendo que se engañaba. Volvió a tocar la estatua otra vez, y se cercioró de que era un cuerpo flexible y que las venas daban sus pulsaciones al explorarlas con los dedos.»

Pigmalión se despertó: a su alrededor seguían estando los trabajos por terminar, las herramientas de siempre, pero en lugar de la estatua se hallaba Afrodita en persona.

—Mereces la felicidad —le dijo—, una felicidad que tú mismo has plasmado. Aquí tienes a la reina que has buscado. Ámala y defiéndela del mal.

Eco y Narciso

La ninfa Eco se había sentado al sol en una colina no lejos de Atenas. Con la cabeza echada hacia atrás y los ojos cerrados gozaba las caricias de la brisa sobre sus mejillas y dejaba que el sol acariciase su rostro. Sus rubios cabellos le caían por los hombros y ondeaban al viento dulcemente.

Poco a poco, Eco se inclinó hacia adelante, cogiéndose las rodillas entre las manos y mirando los árboles de un bosquecillo que había a sus pies. Un poco más allá, en la ladera rocosa, había una bandada de abubillas. Con sus picos cortos y corvos estaban buscando hormigas en el terreno seco y arenoso. El marrón claro de sus plumas contrastaba vivamente con el verde de los árboles.

Cuando la ninfa se puso de pie, volaron para volver a posarse en otro sitio. Eco las siguió con la mirada y luego se adentró entre la sombra de los árboles. Le pareció oír voces. Sí, un hombre y una muchacha estaban hablando. Decidió ver quiénes eran sin darse a conocer. Sospechaba un encuentro romántico y no podía resistir la curiosidad de averiguar si la muchacha era una de sus amigas.

Se movió con precaución para ir a colocarse detrás de un matorral que le permitiera ver sin ser vista. En un pequeño claro, sentada en la hierba, había una ninfa que conocía, pero cuando se dio cuenta de que el brazo que la ceñía era el del poderoso Zeus, Eco empezó a retroceder llena de miedo. Temía la reacción de Zeus si la sorprendía espiándolo, y sólo cuando estuvo a una distancia razonable se sintió aliviada.

Pero otra vez empezó a latirle con fuerza el corazón: una señora alta y hermosa se dirigía hacia ella. Eco la conocía: era la reina de los cielos, la esposa de Zeus. La expresión de su rostro no era precisamente de alegría.

—Dime, ninfa. ¿Has visto pasar a mi marido y quizá acompañado? Creo que tiene que estar por aquí y necesito encontrarlo.

—¿Cómo podré responder si no sé quién es? —dijo Eco.

Naturalmente, Eco sabía la respuesta, pero temía verse envuelta en una contienda entre Zeus y Hera. Sus peleas eran famosas y la gente hacía lo posible por no entrometerse. Hera la miró fijamente, sospechando que no era tan inocente como parecía.

—Bueno, mi marido es Zeus. No me digas que tú, una ninfa, no lo conoces.

—Ahora que sé quién es, creo que lo conozco —respondió Eco—. He estado dando vueltas por el bosque toda la mañana y no me he encontrado con nadie.

Hera se dejó convencer y se volvió por donde había venido. Al llegar al Olimpo, echó una mirada hacia abajo y vio a su marido y a la ninfa que paseaban por el bosque mano sobre mano.

La expresión de su rostro cambió inmediatamente. Estaba claro que la ninfa la había engañado, y eso tenía que pagarlo. La maldijo, condenándola al silencio, de modo que no pudiera pronunciar más que las últimas palabras de las frases de los demás que le llegasen al oído.

En aquel tiempo vivía en aquella misma parte del país un joven llamado Narciso, hijo del río Cefino y de la ninfa Líriope. Era Narciso tan hermoso, que todas las muchachas que lo veían se enamoraban irremisiblemente de él. Pero su madre lo había echado a perder: le había repetido una y otra vez que era demasiado guapo para andar perdiendo el tiempo con las muchachas del lugar, y Narciso se lo creyó hasta volverse desdeñoso. Creció su vanidad hasta tal punto, que decidió que ninguna mujer de la tierra era digna de él.

Muy pronto sus amigos, no pudiendo soportar su presunción, lo abandonaron. Narciso se quedó solo, aunque satisfecho con la compañía de sí mismo. Un día la ninfa Eco, ahora triste y solitaria figura reducida al silencio, mientras estaba paseando por el bosque en que se había encontrado con Hera, lo vio y comprendió al instante que Narciso era el amor de su vida.

Se acercó, deseosa de comunicarse con él, pero el joven le indicó con señas que se alejara. Estaba imaginando que era un dios y no quería que nadie turbara su sueño.

—Déjame solo, muchacha —le dijo con desprecio—. ¿No ves que me estorbas?

—... me estorbas —repitió la ninfa.

—¿Qué yo te estorbo? ¡Vamos, no digas tonterías!

—... tonterías! —continuó Eco.

—Eres una insolente. Si supieras quién soy, serías más amable. Ya va siendo hora de que las ninfas aprendáis a tener más respeto.

—... más respeto —respondió la ninfa.

—Eso está mejor. Pero vosotras, las muchachas, no vais buscando más que el amor.

—... amor —asintió la muchacha.

—Justo lo que pensaba. Eres como las demás. Ya no me queda más que decirte adiós —concluyó Narciso, alejándose.

—... adiós —contestó Eco.

Narciso atravesó por entre las espesuras de los árboles y se detuvo junto a una fuente que había en el claro. Las aguas de las lagunas cercanas estaban claras, inmóviles, tersas como un espejo. Tenía sed y se inclinó para beber. Pero se quedó como aturdido: su imagen reflejada en el agua le hizo creer que había encontrado a la persona más bella que jamás hubiera podido imaginar.

Se quedó admirado, más encantado cada vez. Luego empezó a hablar, pero aunque los labios de la imagen se movían no le llegaba ningún sonido. Se inclinó entonces para besarla. Pero el agua, al moverse, despedazó los contornos de la imagen y la hizo desaparecer.

Narciso se quedó perplejo. Luego, cuando la laguna recobró su inmovilidad, el rostro volvió a aparecer con nitidez en toda su belleza. El joven se inclinó de nuevo para darle otro beso; lo intentó por tercera vez, pero inútilmente. La imagen desaparecía y parecía huir de él.

—¡Me has rechazado! —gritó desesperado—. ¡No puedo vivir sin ti!

Y diciendo esto, tomó el puñal y se hundió la afilada hoja en el corazón.

—¡Adiós, amor! —dijo mientras caía.

—... amor! —repitió como un eco una voz lejana entre los árboles.

Narciso murió. Aunque vanidoso y egoísta, había sido un joven muy hermoso y los dioses se entristecieron ante el pensamiento de verlo desaparecer para siempre. Entonces convirtieron todas sus gotas de sangre en una flor.

Desde entonces hay una flor que lleva el nombre del infortunado joven y crece perfectamente a las orillas de las fuentes.

El final de Narciso está relatado de un modo bellísimo en el libro III de las *Metamorfosis*:

«La última voz que despidió, mirando al agua como solía, fue: "¡Ay, joven en vano amado!", y las mismas palabras repitió el lugar; dijo "adiós", y "adiós" respondió Eco. Dejó caer su cansada cabeza sobre la verde hierba y la muerte cerró aquellos ojos que admiraban la hermosura de su señor. Y aun en la laguna Estigia se contemplaba atentamente luego que fue recibido en el imperio de Plutón. Le lloraron las náyades, sus hermanas, y le ofrecieron los cabellos que se habían cortado sobre su sepulcro. Lloraron también las dríades, y Eco corresponde a su llanto. Disponían ya la hoguera, la leña hecha rajas y el féretro; pero en ninguna parte encuentran el cadáver y, en su lugar, hallaron una flor roja ceñida de unas hojas blancas.»

Midas, el rey de oro

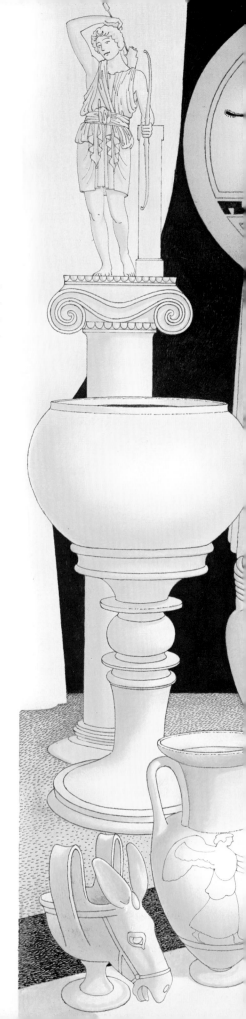

Midas, rey de Frigia, era un hombre estúpido y codicioso. Un día, Sileno, el sátiro que con Dioniso iba recorriendo el mundo, llegó a las puertas del palacio real. Tenía hambre y sed porque se había equivocado de camino y durante varios días había andado por la montaña. Midas lo acogió y le dio comida y techo. Sileno se quedó allí una semana, y la víspera de su partida, el rey organizó un banquete en su honor.

—Has sido un huésped muy generoso —le dijo Sileno— y te lo agradezco. Pero, dime, ¿hay algo que desees de modo especial? Me gustaría dejarte una señal de mi agradecimiento.

Los ojos ansiosos de Midas brillaron. ¿Un carro nuevo decorado con gemas? ¿Cien caballos originarios de las llanuras de Lidia? ¿Quinientas cabezas de ganado de la Arcadia? Todas estas y otras muchas cosas pasaron como un relámpago por su mente, pero tenía miedo de poner voz a sus pensamientos. Quizá Sileno estaba pensando en algo más maravilloso todavía, algo que no pudiera compararse con lo que él iba a pedir. ¿Y si, en cambio, no se le ocurría más que unos simples vasos de bronce? Midas no sabía qué decir, pero tenía que decidirse para no ofender al sátiro y perderlo todo.

—No..., no sé —dijo al fin—. Decide tú.

—Muy bien —accedió Sileno—. Expresa un deseo y te será concedido. Pero piensa bien antes de expresarlo, porque en este mundo hay muchas y muchas cosas que puedes elegir.

Y dicho esto, Sileno se alejó un poco, pero antes de que hubiera terminado de hablar, Midas había tomado ya su decisión. Querría que todo lo que tocase se convirtiera en oro. Así sería más rico de cuanto se pudiera imaginar, será el rey de reyes, y todos le rendirán homenaje.

Tocó una silla, que convirtió instantáneamente en una silla de sólido oro. Luego una mesa, los vasos, la ropa que llevaba, y que se vio obligado a quitarse inmediatamente por su excesivo peso. Rió con satisfacción y empezó a correr de sala en sala, tocando todo lo que veía. Todo era oro macizo.

Pero de tanto andar Midas se cansó: no estaba acostumbrado a correr de aquel modo. A la hora de la comida se sentó en una silla de oro ante una mesa de oro en la misma estancia en que había despedido a Sileno. Un criado le trajo fruta, pero apenas Midas tocó el plato, cuando se convirtió en oro. Rió divertido, pero su expresión cambió rápidamente cuando también el racimo de uvas que se

126

había llevado a la boca se hizo oro. Las uvas se habían convertido en preciosas bolitas relucientes y estimulantes, pero inútiles para el hambre del rey. Ordenó que le trajesen carne, pero sucedió lo mismo. Irritado entonces, dio un empujón a su camarero, que también se convirtió en una estatua de oro.

Corrió a la cocina, pero todo lo que tocaba se transformaba en el precioso metal. Desesperado, se dejó caer llorando en el suelo: ahora estaba claro el significado del regalo del sátiro.

Pasaron los días, y el hambre y la desesperación fueron en aumento. No podía comer, no lograba dormir, y cuando abrazaba a sus hijos se convertían en estatuas sin vida. Hasta las lágrimas que corrían de sus ojos caían pesadamente en el pavimento de oro. Al fin decidió consultar a un oráculo, y sus palabras le dieron esperanza.

—Ve a bañarte en las aguas del río Pactolo —dijo el oráculo—, y desaparecerá la maldición del oro. Esperemos que hayas aprendido la lección.

Midas hizo lo que el oráculo le había sugerido y se libró de aquel peligroso privilegio, dejando el oro de su cuerpo en las aguas del río, que desde entonces brilla por las pepitas de oro.

Cuando volvió a palacio estaba decidido a portarse con mucha más prudencia, pero la experiencia pasada sólo le sirvió para hacerle detestar el oro. Ningún mortal habría aceptado hacer de juez en una contienda entre dos dioses y, sin embargo, Midas no dudó.

Como se recordará, ya Apolo había sido declarado el más grande de todos los músicos en una apuesta con el sátiro Marsias, pero Pan no quiso aceptar el veredicto y lo desafió. Los dos dioses harían sus demostraciones respectivas y Midas tendría que elegir el vencedor.

Tocó primero Apolo, y al oír las notas de su lira, hasta los pájaros del bosque se callaron, reconociendo su supremacía. A continuación, Pan arrancó de su flauta un sonido triste, misterioso, discordante, que hizo refugiarse a las ardillas en los árboles. Sólo entonces se dio cuenta Midas de que el dios que fuese considerado perdedor la tomaría con el juez y no con el vencedor. Sin embargo, a su juicio, la música de Pan era mejor y a él le concedió la corona de laurel.

—¡Estúpido mortal desentonado! —lo agredió Apolo, dando de rabia una patada en el suelo—. ¡Lo que necesitas son dos orejas de asno, eso es lo que necesitas!

Midas se llevó las manos a la cabeza aterrorizado, pero en un instante sus orejas se alargaron, se hicieron puntiagudas y se cubrieron de pelos.

Para un rey no era muy digno que digamos tener orejas de asno, e hizo todo lo posible por esconderlas. Intentó ponerse el sombrero más grande que encontró en su guardarropa, pero estaba preocupado porque en las ceremonias oficiales tendría que llevar corona, lo que haría que resaltasen mayormente. Ya no le quedaba más esperanza que el pelo. Se lo dejó crecer largo y espeso y de algún modo consiguió ocultar su vergüenza.

Pero llegó un momento en que parecía un hombre de las cavernas y tuvo que recurrir al barbero de la corte. El barbero advirtió enseguida las orejas, aunque no dijo nada. Pero era un secreto demasiado pesado para él y, al fin, tomo una decisión. Se fue al río en que Midas se había librado de su peso de oro y, abriendo un hoyo profundo, confió el secreto a la tierra con un susurro:

—¡El rey Midas tiene orejas de asno!

Por fin podía respirar tranquilo. Tapó el hoyo y volvió a casa. Pero durante la noche nació un cañaveral a lo largo del río, y a la mañana siguiente, movidas por la brisa, las cañas susurraron al viento:

—¡El rey Midas tiene orejas de asno!

Y el viento se lo dijo a los árboles, los árboles se lo repitieron a los pájaros del aire y los pájaros a las hierbas y a las aguas, y todos, todos, supieron la gran noticia:

—¡El rey Midas tiene orejas de asno!

La muerte de la Quimera

Belerofontes, un joven príncipe de Corinto, vivió durante un período de tiempo en la corte de Preto, cuando éste era rey de Argos. Y en cuanto se dio cuenta de que Antea, la joven esposa del rey, se había enamorado de él, hizo todo lo posible por evitar encontrarse con ella. Durante mucho tiempo, la joven continuó persiguiéndolo, pero, al fin, enojada por verse continuamente rechazada, decidió vengarse. Con la expresión más inocente, contó a su marido que el joven príncipe le había hecho proposiciones deshonestas.

Preto dio crédito a su esposa y se irritó sobremanera, pero las leyes de la hospitalidad no le permitían matar a su huésped. Intentó entonces dominar sus propios sentimientos y pidió a Belerofontes que llevara en su nombre una carta a Ióbates, el padre de Antea. La carta estaba sellada y el joven no tenía ni idea de su contenido: en ella decía que Belerofontes era un adúltero peligroso y le pedía que buscase el medio de matarlo porque estaba en juego el honor de Antea.

Ióbates mostró cierta reticencia a ejecutar él mismo el asesinato, pero estudió un plan que, a su entender, le daría idéntico resultado.

—Mi yerno dice que eres un hombre valiente —le dijo—. Quizá seas la persona que estoy buscando.

Belerofontes lo miró con aire interrogativo.

—No muy lejos de aquí hay un monstruo que nos está creando graves problemas —continuó Ióbates—. Es conocido como la Quimera y tiene cabeza de león, cuerpo de cabra y cola de serpiente. Dice que fue engendrado por Tifón y Equidna. Nadie de mi gente se atreve a enfrentarse con él. Pero, si eres el hombre que Preto dice, quizá tú...

Ióbates no terminó la frase, pero su significado estaba claro. Si Belerofontes no se ofrecía para combatir con la Quimera, pasaría por un cobarde. Así que aceptó el desafío sin vacilar. La Quimera era mucho más espantosa de lo que Ióbates la había descrito. De su boca de león salía fuego, se movía con la agilidad de una cabra montés y agitaba la serpiente de su cola, siempre dispuesta a morder con sus dientes venenosos.

Antes de salir para su aventura, Belerofontes fue a pedir consejo a un vidente, el cual le dijo que sólo conseguiría su intento si iba montado en el caballo alado Pegaso.

Hijo de Posidón y de la Medusa, aunque en realidad tuvo su origen en la sangre que brotó de la cabeza cortada de su madre, Pegaso no era monstruoso en absoluto. Era un corcel de cuerpo muy her-

moso y tenía dos grandes alas que le permitían cernerse en el aire con la gracia de un pájaro. Pegaso estaba acostumbrado a vivir en completa libertad y Belerofontes tendría que enseñarlo al freno y a la brida.

Aquella noche, mientras Belerofontes iba hacia Corinto, se le apareció la diosa Atenea con una brida de oro en la mano.

—Toma esto si quieres domarlo —le dijo.

Cuando Belerofontes vio a Pegaso, el caballo estaba bebiendo en la fuente de Hipocrene; le puso con suavidad la brida, y aunque Pegaso, que no estaba acostumbrado a ningún tipo de sujeción, empezó a piafar, no le fue difícil dominarlo.

Poco tiempo después, Belerofontes pudo montar encima de él y levantar el vuelo. Había llegado el momento de la gran aventura.

Las alas extendidas de Pegaso lo llevaron durante kilómetros y kilómetros de viaje, hasta que en una altiplanicie divisó las monstruosas formas de la Quimera. Tiró ligeramente del freno, y el caballo aminoró la velocidad de su carrera. La Quimera estaba ya en actitud de desafío, e intentaba atacar al caballo y al caballero con sus pesadas garras de león. Belerofontes disparaba flecha tras flecha con intención de debilitarla para pasar al ataque definitivo.

Para este ataque se había preparado de un modo insólito. La diosa Atenea le había advertido que la Quimera escupía fuego por su boca de león, y Belerofontes escogió un arma singular. En efecto, apenas el animal abrió sus espantosas fauces para abrasar al adversario con su soplo de fuego, Belerofontes le introdujo entre los dientes su lanza, en cuyo extremo había fijado una masa de plomo. El metal, por efecto del calor, se derretía rápidamente y se iba filtrando como un arroyo en el estómago de la Quimera, empujándola a una muerte atroz.

Cuando Belerofontes volvió victorioso al palacio real de Ióbates, el rey empezó, por primera vez, a dudar de que un hombre así hubiera podido comportarse de un modo tan des-

honroso como había hecho creer su hija. Sin embargo, le señaló varias pruebas más, algunas de las cuales eran extremadamente difíciles y peligrosas.

Belerofontes las acabó todas con éxito, y fue entonces cuando Ióbates se dio cuenta de que tenía que haberse equivocado acerca de la conducta de aquel valeroso héroe, y le pidió explicaciones a él mismo.

Para reparar la ofensa que le había hecho, Ióbates le ofreció la mano de su hija segunda. Se casaron y en el palacio se celebró una fiesta suntuosa.

Belerofontes era ahora muy considerado y respetado, y universalmente admirado por su valor. La gente lo adulaba y exageraba la historia de sus hazañas, y con el paso del tiempo, el joven príncipe empezó a pensar que todo lo que decían era verdad. Se hizo insoportablemente presuntuoso y, cuando alguien lo comparaba con un dios, se consideraba acreedor de tales cumplimientos. Llegó a creerse que era realmente igual que los dioses inmortales. Y si lo era, pensó, ¿por qué no ir al Olimpo?

Le refirieron a Zeus el asunto, pero él se resistía a creer que un simple mortal pensara en llegar, sin ser invitado, a la cumbre del Olimpo, y decidió hacerle pagar su presunción.

Entre tanto, Belerofontes, vestido con sus mejores ropas, montó en el caballo alado y desde una pequeña elevación levantó el vuelo. Los campos se extendían debajo de él como un mapa gigantesco; la subida se dirigía hacia el Olimpo.

El señor de los dioses estaba observándolo y, cuando lo vio cerca de la meta, envió un mosquito a su encuentro. Recto como una flecha, el mosquito dio en el blanco: maliciosamente picó a Pegaso bajo la cola. El caballo, cogido por sorpresa, dio un respingo y se encabritó, tirando al ambicioso caballero. Belerofontes quedó tullido de la caída. «Blanco del odio de todos los dioses —dice Homero—, erró por la llanura de Aleya, solo, royendo su corazón y evitando el camino de los hombres.»

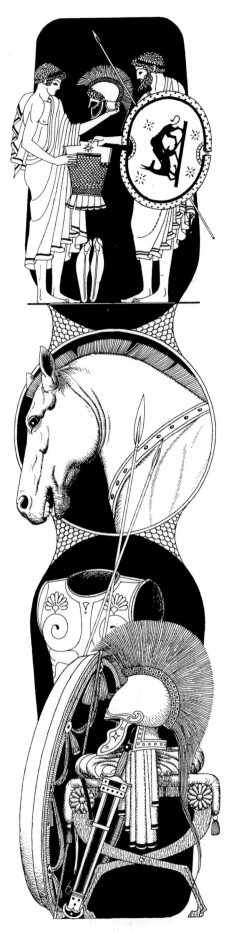

La caída de Troya

El relato del asedio de Troya es también la historia de los últimos días de los grandes héroes griegos. Muchos no sobrevivieron a los diez largos años que duró aquella guerra; los pocos que volvieron a Grecia, agotados por la que parecía una contienda interminable, se encontraron con que las cosas habían cambiado en su ausencia y que otros, mucho menos dignos que ellos, estaban gobernando en su lugar. Progresivamente, las familias nobles del pasado se fueron debilitando y desapareciendo.

La larga guerra de Troya empezó cuando Paris, el joven hijo del rey de Troya, Príamo, raptó a Helena, la esposa de Menelao, rey de Esparta. Helena era hija de Zeus y de una hermosísima mujer. Hay quien dice que siguió a Paris voluntariamente; otros, que fue obligada contra su voluntad; lo cierto es que Paris se negó a devolvérsela a su marido y que la bella Helena se quedó en Troya.

Muchos de los reyes y de los mejores guerreros de Grecia se aliaron y zarparon con sus ejércitos para humillar a Troya y recobrar a la reina.

La historia de la guerra troyana es complicada: el conjunto es el resultado de una multitud de incidentes y batallas que fueron ocurriendo por separado. También las mujeres y las familias de los guerreros se vieron envueltas en los avatares de la guerra, pero su papel fue principalmente de apoyo. Hasta los dioses participaron, unos a favor de los griegos, otros de los troyanos. Pero la guerra se asienta, sobre todo, en los grandes nombres que han llegado hasta nosotros, transmitidos por las historias y la literatura de la antigua Grecia.

El primero de todos es el poderoso Agamenón, rey de Micenas y hermano de Menelao, y comandante en jefe de los ejércitos griegos; luego Aquiles, valerosísimo guerrero; y Diomedes, con sus ejércitos de Argos y Tirinto; y el gigantesco Ayax, hijo de Telamón de Salamina; y también Patroclo, amigo fraterno de Aquiles, y el astuto Ulises, que se unió a la guerra en un momento posterior.

En la parte de los troyanos estaba Príamo, el rey de la ciudad, el cual, siendo ya demasiado viejo para combatir, había confiado el mando de las tropas a su hijo mayor, Héctor. Otra rama de la familia estaba representada por Eneas, el único mortal cuya madre era una diosa: Afrodita.

Durante la guerra hubo muchos aliados de otros países que llevaron ayuda a Troya. Entre los más importantes cabe mencionar a Pentesilea, reina de las Amazonas; Sarpedón y Glaucò, jefe de los

licios, y Reso, procedente de Tracia en el lejano norte.

Otro troyano importante fue Cicno. Su padre, Posidón, había construido, junto con Apolo, las murallas de Troya para el rey Laomedonte. Al fin, Laomedonte se atrajo la ira de los dioses por negarse a pagar el trabajo. La construcción era de una solidez extraordinaria y las fortificaciones prácticamente impenetrables. Troya estaba situada en una meseta baja de Frigia, en Asia Menor, al otro lado del Mar Egeo. A su alrededor había una llanura y a lo lejos se divisaba la estrecha franja del mar del Helesponto.

Aquiles fue el más grande de los guerreros griegos. Era hijo de la nereida Tetis. Posidón había estado enamorado de Tetis, pero, cuando vino a saber que el hijo de ella sería más importante que su padre, la dejó para casarse con la hermana de Tetis. Entonces Zeus decidió enviar a Hermes a la tierra para concertar el matrimonio con un mortal.

El hombre elegido fue Peleo, hijo del rey Éaco, injustamente expulsado de su país tras la muerte casual de su hermano menor. Ahora vivía con su viejo tutor, el centauro Quirón.

Hermes los encontró una noche sentados delante de su caverna.

—¡Salve, Peleo, y saludos a ti, buen Quirón! —dijo—. Vengo de parte de Zeus con una noticia que os alegrará, porque Peleo ha sido elegido por el dios supremo para un honor especial.

El matrimonio se celebró en la caverna de Quirón, en el Monte Pelio, y a ella asistieron muchos dioses. Estaban también presentes Hera, Atenea y Afrodita, y fue durante aquella celebración cuando Paris eligió a Afrodita como la diosa más bella. Desde entonces, Afrodita corrió en ayuda de Paris siempre que estaba en peligro.

Peleo y Tetis engendraron a Aquiles, un hijo del que estaban muy orgullosos y a quien concedieron todo lo que deseaba. Pero Tetis tenía para el niño ambiciones que iban más allá de las de cualquier madre mortal: quería que fuese inmortal. Para empezar, hizo con él un largo viaje a la tierra de los muertos y lo sumergió en las lentas aguas de la Estige, que harían su cuerpo invulnerable, de tal manera que ninguna arma humana pudiera herirlo. Pero, no atreviéndose a soltarlo del todo, lo mantuvo sujeto por el talón, sin darse cuenta de que aquel punto no sería tocado por las aguas y se convertiría para siempre en su punto débil, y por tanto, vulnerable.

Luego recurrió al antiguo ritual del fuego y, sin decir nada a su marido, puso al niño sobre los tizones para destruir todo lo que de mortal había en él. Peleo, que vio por casualidad la escena, se quedó horrorizado, no quiso escuchar razones, y la acusó de querer matar a su hijo. Entonces la ninfa tomó por la noche al pequeño y lo llevó al Monte Pelio, para confiarlo a los cuidados del centauro Quirón, que había criado a muchos héroes. Quirón lo crió con entrañas de leones y de jabalíes y con médula de oso.

Aquiles se convirtió en un joven fuerte y hermoso. Quirón solía decir que era el guerrero más noble y más valiente de cuantos había instruido.

Cuando Tetis se enteró de que Helena había sido llevada a Troya, se preocupó enormemente. El rey Agamenón se había dirigido a todos los hombres armados de Grecia para que se unieran a su flota, anclada en el puerto de Áulide, en la costa de Beocia. Tetis sabía que Aquiles, como todos los pupilos de Quirón, respondería inmediatamente a la convocatoria, y se apresuró a subir al monte Pelio. Lo encontró cuando estaba preparándose para la marcha.

—Ya hay muchos guerreros que han jurado que destruirán Troya. ¿Qué necesidad tienes de ir tú?

—No hay ninguna victoria segura hasta que no se ha combatido —declaró Aquiles, que no estaba de acuerdo con ella—. Nunca se sabe lo que puede pasar. Agamenón es un hombre prudente, y si dice que hacen falta hombres en filas, yo debo ir.

También Quirón se puso de parte del joven, y entonces Tetis, comprendiendo que no le quedaba otra posibilidad, preparó un encantamiento. Tomó a su hijo a escondidas, lo vistió de muchacha y lo llevó a la isla de Esciros para ponerlo bajo la protección del rey Licomedes.

Entre tanto, los reyes y los príncipes griegos estaban reuniéndose en Áulide. Uno tras otro los ejércitos entraban en la ciudad para saludar a Agamenón, y luego acampaban en los campos de los alrededores. Los primeros en llegar fueron los estados vecinos, mientras que todos los procedentes de Arcadia y de Mesenia, situadas al sur, y de Tesalia, al norte, anduvieron semanas enteras antes de llegar al punto de reunión. Las naves en tanto iban y venían de las islas a las ciudades de la costa y se multiplicaban los preparativos para cargar armas y víveres.

Ulises, rey de Ítaca, no estaba entre los que habían llegado ya, porque se encontraba muy indeciso acerca de si tomar parte en la expedición o no. Hacía sólo un año que se había casado y no quería abandonar a su esposa y a su hijito, además de que un oráculo le había predicho que pasarían muchos años antes de que pudiera volver a su patria. Y así, cuando Agamenón fue a verlo en persona para convencerlo, Ulises se fingió loco. Unció al arado a un asno y un buey, y con aquella extraña yunta aró el campo, sembrando luego sal en vez de trigo.

Pero Agamenón empezó a sospechar si no habría una razón para que se comportara de aquel modo y lo puso a prueba poniendo al hijo de Ulises en el campo, justo por donde debía pasar el arado. La reacción del padre fue inmediata, y desde luego la de una persona en plena posesión de sus facultades mentales. Tomó al niño entre sus brazos e intentó calmar sus gritos con palabras y gestos harto normales. Después de aquel episodio le fue difícil continuar fingiendo y, abrazando a su mujer y al pequeño, se vio obligado a partir.

Finalmente, todo estuvo preparado en Áulide. Subieron a bordo los soldados, y la flota, desplegando las blancas velas al viento, dejó lentamente el puerto rumbo a Troya.

Al principio, la expedición pareció destinada al fracaso. Se levantó el viento, y una terrible tempestad azotó las naves, dañándolas gravemente, dispersándolas y alejándolas del rumbo prefijado. Cuando, después de varios días, la flota volvió a reunirse, estaba en condiciones desastrosas: las velas y los mástiles estaban destrozados, los remeros exhaustos y muchas de las provisiones habían acabado en el mar. Estaba claro que era imposible continuar, y Agamenón ordenó volver a Grecia para proceder a las reparaciones. Pero hubo, además, otra razón que impulsó a Agamenón a volver: recordó que el adivino Calcante le había profetizado que Troya no caería si Aquiles no estaba entre los griegos. Agamenón no había tenido en cuenta la profecía hasta entonces, pero ahora no podía ignorarla.

En cuanto llegaron a Áulide, Agamenón mandó inmediatamente que buscasen a Aquiles. Se había corrido la voz de que estaba en Esciros, en la corte del rey Licomedes, y que vivía como una más de sus hijas. Ulises, que se

reveló como el más hábil en la preparación de planes para todo el resto de la guerra, sugirió un modo de encontrarlo.

—Si está allí, puede ser por voluntad propia o porque se vea obligado a ello. Es posible que no sepa nada de nuestra expedición, pero hasta que no estemos seguros tenemos que ser prudentes.

Compró regalos para Licomedes, y junto con Diomedes, otro guerrero griego, salió para Esciros. Según su proyecto, no tenían que darse a conocer como guerreros que iban a llevarse a Aquiles por la fuerza.

El rey Licomedes hospedó con gusto a los dos viajeros.

—Cuando Agamenón ha sabido que veníamos a Esciros, nos ha pedido que veamos si Aquiles, el hijo de Peleo, vive aquí. Está preparando una gran expedición contra Troya y no podrá tener éxito sin la presencia de Aquiles. Eso es lo que han dicho los dioses. Sus hombres lo han buscado por todo el interior, pero sin resultado. Ahora le han dicho que ha ido a una de las islas.

Después de que Ulises hubo hablado así, Licomedes movió la cabeza, porque no sabía que Tetis lo había engañado.

—Lo siento, pero no puedo ayudaros —dijo—. La que sí que vive aquí es la hermana de Aquiles, pero hace muchísimo tiempo que no tiene noticias de su hermano.

Ulises simuló conformarse con la respuesta.

—Nuestra próxima parada será en la isla de Serifos —dijo—. Espero que tengamos más suerte. Entre tanto vamos a dejaros algunos regalos a ti y a tus hijas de parte de Agamenón.

Abrieron los regalos: copas de oro para el rey, y collares, broches, anillos y vestidos finamente recamados para las muchachas. Lo colocaron todo encima de la mesa de la sala para que las hijas de Licomedes pudieran escoger. Excitadas, las muchachas cogían una chuchería tras otra, se las enseñaban mutuamente, se las probaban. Sólo una se mantenía aparte: era más alta que las otras y tenía un tipo más recto y sutil. Su interés por los bordados parecía ser bastante superficial. Luego, mientras con los dedos acariciaba una capa color carmesí que se encontraba entre los regalos, pareció cambiar súbitamente de idea. Cogió la empuñadura de la espada, que estaba escondida debajo de la capa, y la blandió.

El plan de Ulises había funcionado.

—¡Aquiles! —exclamó—. Soy Ulises, hijo de Laertes, y éste es Diomedes, de Argos y Tirinto. Nos manda el rey Agamenón para que tomes parte en la guerra más grande de todos los tiempos. Ven a Troya con nosotros, y hónrate a ti mismo honrando a Grecia.

Aquiles corrió entonces a estrechar las manos de los dos caudillos.

—Voy con vosotros —dijo—. ¡Estoy listo para marchar!

Corrió a quitarse los vestidos femeninos, que ahora le parecían bastante ridículos, y se puso en camino hacia Áulide.

En cuanto reunió e hizo venir a sus soldados de Tesalia, la escuadra griega se puso nuevamente en movimiento. Esta vez el viaje transcurrió sin incidentes. Al entrar en el estrecho del Helesponto para fondear después, los griegos descubrieron que el ejército troyano estaba formado a las orillas del mar para impedir el desembarco. No obstante, continuaron avanzando y, cuando llegaron a la playa, se echaron al agua bajo una lluvia de flechas, lanzas y piedras. Aquello fue el principio: espada contra espada, los hombres de ambos ejércitos se lanzaron a la refriega.

Aquiles fue uno de los primeros que llegó a tierra y, siguiendo sus órdenes, los griegos fueron, poco a poco, obligando a los troyanos a retirarse de las orillas del mar. Sin preocuparse del peligro, Aquiles parecía estar en todas partes, contento de hallarse otra vez entre los hombres. Los troyanos tuvieron un momento de vacilación: no sabían si continuar combatiendo o retroceder. Luego se presentó en sus líneas Cicno, hijo de Posidón, que los incitó a realizar un mayor esfuerzo, y él mismo empezó por dar ejemplo con su espada.

Aquiles se dio cuenta de que con un comandante como Cicno en la parte contraria la batalla sería dura, y para ello era vital ocupar en tierra una base siquiera para montar el campamento. Arrojó contra él su puntiaguda lanza. Como hijo de Posidón, Cicno era invulnerable y no había arma de mortal que pudiera matarlo. Y, en efecto, aunque la lanza lo golpeó en mitad del pecho, no le hizo herida alguna. Aquiles imaginó el secreto del adversario y se infiltró en las filas de los enemigos para poder enfrentarse con él cara a cara. Los hombres que estaban a su alrededor se retiraron a un lado para observar el terrible duelo.

En vez de atacarlo con la espada cogida por la empuñadura, Aquiles se abalanzó contra él agarrando la espada por la hoja y, haciéndola voltear pavorosamente, golpeó con la empuñadura el escudo de Cicno, que, sorprendido, dejó caer su arma de defensa y se tambaleó. En aquel instante, Aquiles se echó sobre él como una pantera y, agarrándolo por el yelmo, tiró de él hasta que la correa del cierre le oprimió la garganta. Cicno se debatía, luchaba, pero Aquiles no soltó su presa hasta que vio que su cuerpo se debilitaba y derrumbaba.

Cicno no murió: su cuerpo tomó la forma de un majestuoso cisne blanco, que entró en el mar y se alejó meciéndose sobre las olas. Posidón había reclamado a su hijo.

Tal vez los troyanos lo tomaron como un mal presagio o acaso sólo estaban abatidos y desanimados por el final de uno de sus mejores jefes: sea lo que fuere, se retiraron al interior de las murallas. Desde allí observaban cómo los ejércitos griegos acampaban y colocaban en tierra los caballos, los carros de guerra y los víveres. La primera batalla había terminado con la victoria del rey Agamenón. Los soldados griegos estaban eufóricos, pero ganar una batalla no significa ganar la guerra y esto lo sabían muy bien los que mandaban. Aquello era sólo el principio.

Durante los días siguientes sólo hubo pequeñas escaramuzas, porque ambos ejércitos estaban ocupados en dar sepultura a sus respectivos muertos y en hacerse cargo de la situación. En un último intento de evitar más derramamiento de sangre, Menelao envió un embajador al rey Príamo, desafiando a Paris a batirse con él en singular batalla. Si perdía, caería con honor y Paris tendría a Helena como resultado de una lucha leal. Los griegos volverían a sus casas y dejarían a Troya en paz.

Paris aceptó el desafío. El combate tuvo lugar fuera de las murallas de la ciudad y fue largo y difícil. Al fin, Paris, herido en el muslo, cayó a tierra, pero en el mismo momento en que Menelao iba a asestarle el golpe final, los soldados troyanos se precipitaron fuera de las puertas de la ciudad y se llevaron a su héroe a salvo. La puerta se cerró velozmente y Menelao se quedó solo, desconcertado e indignado por aquel comportamiento.

Pasaron los minutos. La puerta siguió cerrada, y Helena no daba señales de vida. Estaba claro que los troyanos no tenían intención de mantener su palabra y cumplir lo pactado. Me-

nelao esperó un poco más, y luego volvió al campamento negándose a hablar con nadie. Pero aquella misma noche, en un consejo de guerra que tuvo lugar en la tienda de Agamenón, habló larga y amargamente de la cuestión del honor. Todos estuvieron de acuerdo en que la guerra debía seguir hasta el final y que en lo sucesivo no se tendría en cuenta ninguna propuesta de paz.

Durante los años que siguieron su decisión fue repetidas veces puesta a prueba, y en más de una ocasión muchos se preguntaron si no era el momento de abandonar una guerra que no conseguían ganar. Troya estaba soportando un duro asedio, pero las murallas, construidas por Posidón, demostraron ser excesivamente resistentes a sus ataques. De cuando en cuando, los troyanos hacían alguna incursión en las llanuras de los alrededores, pero como ambos ejércitos estaban muy equilibrados no se podía hablar de auténticas victorias.

Tampoco Troya cedía, y entonces los griegos dirigieron su atención a los distritos y ciudades aliadas para cortar toda clase de aprovisionamiento. Si los troyanos estuvieran completamente aislados se debilitarían y acabarían por rendirse. Pero los griegos no estaban en condiciones de bloquear todos los posibles accesos, y las fuerzas aliadas conseguían infiltrarse por la noche entre las filas enemigas, favorecidas naturalmente por el mejor conocimiento del terreno.

Un día Aquiles fue enviado contra la ciudad de Lirneso, que era una de las últimas fortalezas rivales de la zona. La ciudad fue destruida en el combate, y entre los despojos de guerra, Aquiles y sus soldados llevaron al campamento dos jóvenes: eran Criseida y Briseida, que en hermosura podían rivalizar con la misma Afrodita. Resultaba difícil decir cuál de las dos era más bella. Agamenón, como comandante supremo de los ejércitos, tenía derecho a elegir y se quedó con Criseida. La otra se la dejó a Aquiles.

Inmediatamente después de este episodio estalló en el campamento una terrible peste que se agravaba día a día. Los hombres quedaron reducidos a tal estado de debilidad, que no podían combatir; muchos morían en sus tiendas. Probaron con fármacos elaborados con las hierbas que se encontraron en la zona, pero sin ningún resultado positivo.

Agamenón mandó entonces llamar a un adivino para pedirle consejo.

—Poderoso rey —le dijo el viejo—, los dioses han sido gravemente ofendidos y están irritados.

—Pero ¿en qué ha consistido la ofensa? —le preguntó Agamenón.

—Tienes en tu tienda una joven a la que has hecho tu esclava —prosiguió el viejo—. Esa joven es una sacerdotisa de Apolo, el cual, enfurecido, os ha mandado la epidemia.

Agamenón se quedó muy turbado con aquella noticia, porque sabía que las sacerdotisas eran sagradas para el dios y no podían ser tocadas por ningún mortal.

—Debe ser verdad lo que dices —respondió—. Pero ¿cómo podría repararlo?

El adivino le dijo que devolviera inmediatamente a Criseida a su templo con dones y sacrificios para el dios. A Agamenón no le quedaba otro remedio, aunque le desagradaba enormemente pensar que tendría que desprenderse de la joven. Pero si renunciaba a obedecer, la causa griega estaría perdida para siempre.

Y así la dejó marchar, aunque inmediatamente ordenó a Aquiles que le cediera a Briseida. Aquiles no podía negarse a obedecer a su jefe, pero, herido en lo que más quería en aquel momento, volvió a su tienda, jurando que no participaría más en la guerra.

Las noticias cobraron nuevo valor. Además, habían llegado refuerzos hacía poco: era el momento adecuado para realizar un ataque por sorpresa. La primera línea enemiga se vio obligada a retroceder hasta el mar, al otro lado de la empalizada defensiva que los griegos habían construido a lo largo de la playa. El último en retroceder fue Ayax Telamonio, que combatió denodadamente, aunque, pese a su valor y al de sus hombres, los griegos sufrieron una severa derrota.

Se creó entonces una atmósfera de descontento, y los hombres empezaron a protestar contra la decisión de Aquiles. Patroclo, su amigo fraterno, intentó defenderlo, aunque tampoco compartía su forma de actuar. Agamenón estaba equivocado, pero Patroclo no tenía ninguna influencia sobre él; lo único que podía hacer era convencer a Aquiles de que dejara de lado su resentimiento y se comportara como hombre de honor y como soldado.

—No moveré un dedo hasta que Agamenón venga a pedirme excusas —respondió Aquiles.

—Me parece que estás portándote como un niño —objetó Patroclo, molesto por su testarudez—. ¡Si no te hubiera conocido como un guerrero valiente y esforzado, hasta yo pensaría que echas de menos tu estancia entre las princesas de Esciros!

Pero Aquiles pareció no captar la provocación.

—Está bien —dijo entonces Patroclo, que estaba buscando desesperadamente un modo de reunir a los soldados griegos, desanimados y decepcionados—. Si no quieres ir tú, iré yo. Me pondré tu armadura y bajaré al campo: los troyanos creerán que has cambiado de opinión.

Y diciendo y haciendo, se puso el yelmo, embrazó el escudo, empuñó la espada y la lanza de su amigo, y se alejó, dejándolo en la tienda a meditar sobre su orgullo herido.

Al día siguiente, los troyanos vieron cómo los soldados enemigos salían de sus barricadas y ganaban terreno incitados por Aquiles. Y aunque Héctor, el comandante troyano, había incitado a los suyos a resistir repetidamente, los griegos consiguieron llegar hasta las murallas de la ciudad. Patroclo podía ser tomado fácilmente por Aquiles: siempre estaba en el centro de la refriega, espoleaba a sus hombres, daba indicaciones, luchaba como un verdadero héroe. Estaba ya a las puertas de la ciudad, y Héctor, el temible adversario, se hallaba ante él. En medio del ardor de la batalla, Patroclo había perdido el yelmo y ya no podía esconder su identidad. El cansancio le traicionó y le impidió salir airoso de un combate con un guerrero del valor y características de Héctor. Después de intercambiar algunas estocadas, el valeroso amigo de Aquiles cayó a tierra herido de muerte.

La noticia de lo que había sucedido llegó veloz como el viento a la tienda de Aquiles, y el valiente héroe griego rompió a llorar.

—¡Precisamente yo tenía que hacerle esto! ¡Mi amigo más querido sacrificado a mi orgullo!

A grandes pasos salió de la tienda. Era ya de noche y los troyanos se habían retirado al interior de las murallas. A lo lejos, en el campo de batalla, vio a Ayax y a Ulises, que estaban colocando en un carro el cuerpo de Patroclo, para llevarlo al campamento.

—¡Por todos los dioses, mañana será el día de la rendición de cuentas! —gritó con voz de trueno—. ¡En memoria de Patroclo, no cien, mil troyanos mañana caerán bajo mi espada!

Pareció que hasta las murallas de la ciudad se conmovieron en sus cimientos. Por un instante, Aquiles se detuvo a mirar la ciudad enemiga y luego fue a hacer las paces con Agamenón.

A la mañana siguiente, los troyanos salieron una vez más para otra gran batalla. La figura de Aquiles lo dominaba todo. Su espada parecía una gran hoz que segaba enemigos como espigas en época de siega. El trágico fin de Patroclo lo había colmado de odio hacia los troyanos, un odio acrecentado por el convencimiento de haber sido la causa principal de aquella muerte.

Bajo el empuje de Aquiles y de sus hombres, los troyanos se vieron obligados a replegarse y retroceder hasta las murallas. Y cuando parecía que los griegos podrían proceder al ataque final, los troyanos se batieron en retirada y se precipitaron dentro de la ciudad, cuyas puertas cerraron con estrépito. Sólo Héctor quedaba en la entrada principal, por donde los últimos soldados estaban entrando en desorden. Había luchado con extremo valor, como siempre, pero esta vez no consiguió evitar la desbandada.

Aquiles lo vio desde su carro y descargó contra él su lanza, con tal fuerza, que habría traspasado hasta las murallas. Héctor, herido en el cuello, cayó al suelo.

—¡Así tienen que morir los perros! —gruñó

Aquiles furioso, saltando a tierra con la espada desenvainada.

Pero Héctor estaba ya muerto. Entonces Aquiles, no satisfecho aún, ató el cadáver de Héctor a su carro y lo arrastró por la llanura, dando tres vueltas a las murallas de la ciudad.

Hasta los griegos se sintieron afectados por el gesto de Aquiles. Un guerrero muerto, amigo o enemigo, debía ser honrado con la sepultura para que pudiera ocupar el lugar justo en los Campos Elíseos. La ira de los dioses se desencadenaría de nuevo contra ellos. Aunque era ya muy entrada la noche y los hombres descansaban ya en las tiendas o se ocupaban de los heridos, Aquiles permaneció inflexible.

—Dejádselo como comida a los buitres —dijo con desprecio.

A las primeras luces del alba, desde lo alto de las murallas, vio Príamo que el cuerpo de su hijo estaba aún en el campo. Pidió entonces ayuda a Zeus y, disfrazado, logró entrar en el campamento enemigo y llegar hasta la tienda de Aquiles.

Se dio a conocer al hombre que había matado a su hijo y empezó a hablar:

—Sé que en la guerra se hacen cosas terribles, cosas que en tiempo de paz parecerían impensables. Pero en la lucha se obra con ímpetu, sin pensar, y quizá todo pueda perdonarse. Yo soy viejo y he visto muchas cosas. Pero en cualquier lugar donde haya hombres de honor,

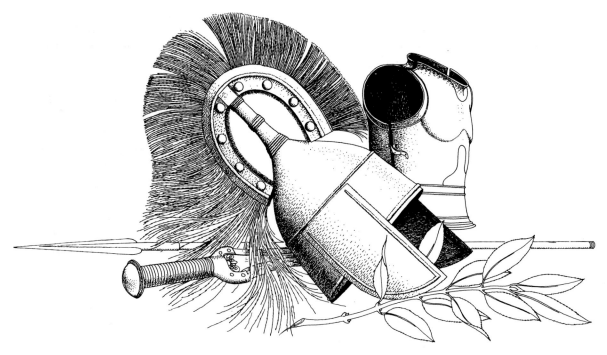

se hablará siempre con horror y desprecio del trato que has reservado al cuerpo de mi hijo. Tu nombre significará deshonra y tus triunfos serán olvidados. Aún estás a tiempo de volver a ganarte el respeto que nosotros, tus enemigos, te debemos. Déjame llevar a la ciudad el cuerpo de Héctor para darle debida sepultura y para que pueda entrar en paz en el mundo de los muertos.

Aquiles se sintió conmovido por las palabras del anciano rey. Ahora estaba más tranquilo y se dio cuenta de que había cometido una grave injuria. Pero era orgulloso y no quería ceder del todo.

—Puedes llevarte a tu hijo —respondió—, a cambio de su peso en oro.

Se declaró un día de tregua. Los hombres de Príamo sacaron fuera de la ciudad una enorme balanza. Los griegos pusieron el cuerpo en uno de los platillos y los troyanos empezaron a echar oro en el otro. Pero la ciudad había quedado empobrecida por la larga guerra, y el oro, aunque por muy poco, resultó insuficiente. Príamo miró a Aquiles con ansiedad, pero el guerrero griego meneó lentamente la cabeza: sus condiciones eran claras.

La hermana de Héctor, Políxena, que se había quedado observando lo que sucedía desde lo alto de las murallas, se quitó un pesado collar que llevaba al cuello y lo lanzó sobre el platillo del oro. El platillo osciló y se paró en la posición de equilibrio.

Los troyanos pudieron rescatar el cuerpo. Aquiles, conmovido por el gesto de Políxena, mandó que le devolvieran el collar.

En las semanas de guerra que siguieron, Aquiles se sorprendió a sí mismo, pensando con frecuencia en la joven, y decidió pedirla por esposa. Si Príamo consentía, acabarían las hostilidades.

El pensamiento de que la sangrienta lucha pudiera terminar alegró a Príamo, que fijó una entrevista para discutir las condiciones. Por su parte, Paris temía que una paz alcanzada de aquel modo lo obligaría a restituir a Helena a su marido, y mientras Aquiles se acercaba a la ciudad para verse con el rey, lo hirió con una flecha envenenada. La flecha le dio en el talón, su único punto vulnerable.

Después de un momento de incredulidad por la muerte de Aquiles, los soldados griegos pasaron a la acción y atacaron a las órdenes de Ulises, Ayax y Diomedes. Las incursiones fue-ron cada día más duras y peligrosas, pero parecía que la guerra no iba a terminar nunca.

De pronto, una mañana, los troyanos descubrieron, con gran sorpresa suya, que los griegos se habían ido. Sus naves habían zarpado. No se veía nada, salvo los restos de su campamento vacío.

Unicamente, ante la entrada principal, montado en una plataforma con ruedas toscamente labradas, habían dejado un gigantesco caballo de madera. En el costado llevaba una dedicatoria a Atenea. Los troyanos lo examinaron con suma precaución y, por último, decidieron que no era sino una ofrenda a la diosa que los había seguido durante la larga guerra. Así, pues, lo arrastraron hasta dentro de las murallas de la ciudad, como un monumento a la inesperada victoria sobre los griegos, y lo colocaron cerca del palacio real.

Aquella noche, por primera vez desde hacía muchos años, hubo fiesta en Troya. La gente cantaba y bailaba en torno al caballo de madera. Pero cuando la ciudad estaba sumergida en el sueño, por una abertura cuidadosamente oculta salieron del caballo medio centenar de guerreros griegos. Unos corrieron al palacio real, otros a las puertas de la ciudad para abrir al resto del ejército. En efecto, las naves griegas habían vuelto ya de la isla vecina donde se habían ocultado. Completamente desprevenidos y cogidos por sorpresa, los troyanos pelearon su última batalla. A la mañana siguiente Troya estaba en manos de los griegos.

El plan del astuto Ulises había dado resultado; Helena, la causa de aquellos largos y dolorosos años de guerra, fue llevada a Grecia otra vez.

En el libro II de la *Eneida* narra Virgilio, por boca de Eneas, la caída de Troya. A él pertenecen los siguientes fragmentos, según la traducción en verso de Gregorio Hernández de Velasco, Toledo, 1555:

Los muros al momento abiertos fueron,
a fin de que el fatal caballo entrase.
La dañosa obra todos emprendieron
y, porque más ligero se llevase,
a los pies ciertas cuerdas le injirieron
y al cuello sogas con que se tirase.
Sube al muro la máquina valiente
preñada de armas y de griega gente.

Iban en torno niños y doncellas
que con himnos la entrada festejaban,
juzgándose dichosas las que de ellas
a tomar las maromas alcanzaban.

Ella entra amenazando las centellas
que a la ciudad cuitada se guardaban.
¡Oh patria, oh Ilión, de dioses caro
albergue, en guerra y paz al mundo raro! [...]

    Vuélvese el cielo en tanto en presto vuelo;
sale del mar la noche presurosa
envolviendo la tierra, el mar y el cielo
y el griego engaño en sombra tenebrosa.
Los troyanos seguros de su duelo,
sin miedo alguno ya de adversa cosa
durmiendo, del trabajo fatigados
estaban en silencio reposados. [...]

    Cuando la nao real un fuego haciendo,
Sinón, del Hado injusto defendido,
las cuevas abre de aquel vientre horrendo,
sin ser de nadie el cauto ardid sentido,
la máquina engañosa el lado abriendo,
al tropel griego, que tenía escondido
y en aquel roble cóncavo encubierto,
lanzó de su escondrijo a cielo abierto. [...]

    Con furia la ciudad triste acometen,
que estaba en vino y sueño sepultada;
las guardas lo primero a hierro meten,
a quien la vela estaba encomendada.
Abren las puertas, hecho aquesto, y meten
toda la gente que traía la armada,
que había tenido ya el aviso de la
cruda celada y de la atroz cautela.

    Era la hora en que al primer reposo
se van ya los mortales entregando
y el sueño, de los dioses don sabroso,
sin ser sentido va el sentir privando,
cuando en sueños vi a Héctor lastimoso,
el triste rostro en lágrimas bañando,
al mismo carro que le arrastró asido,
de polvo y sangre y de sudor teñido.

    En duros correones el cuitado
ligados los hinchados pies traía.

    ¡Ay de mí, cuál estaba y cuán mudado
venía del Héctor que ya ser solía
cuando de los despojos adornado
volvió que el fiero Aquiles se vestía
o cuando echó en la flota de los griegos
con mano osada los troyanos fuegos!

    La inculta y yerta barba le miraba
y el cabello en sangriento humor tapido;
gran copia de heridas me mostraba,
que en torno a Troya había recibido.
Lloraba yo con él triste y soñaba
que, de su acerbo caso condolido,
con tristes quejas yo le prevenía
y con voz doliente aquesto le decía:

    «¡Oh luz de Troya, oh Héctor dulce y caro!
Tú que nuestra esperanza cierta fuiste,
¿dó te detuvo tanto el Hado avaro?
¿En qué región nuestro clamor oíste?
¿Quién sin causa afeó tu rostro claro?
¿Por qué tan fieras llagas padeciste?
¿Cómo a mal tanto de tu patria y gente
y a tantas muertes te has hallado ausente?»

    Él, mis querellas vanas no escuchando,
mis acentos dejó no respondidos;
mas de lo hondo de su pecho dando
ardientes y tristísimos gemidos:
«¡Hijo de diosa, ay, huye, ay, sal volando
de entre estas llamas! —dijo—. Hoy sois vencidos:
ya el enemigo muro y fuerte tiene.
Hoy Troya y su grandeza a tierra viene.

    Harto se ha hecho por el rey troyano
y por la cara patria ya perdida:
si ser pudiera por alguna mano,
por ésta también fuera defendida;
mas, pues pensar en esto es afán vano,
Troya te encarga, Troya tu querida,
su religión, sus aras y Penates
que al furor de los griegos arrebates.»

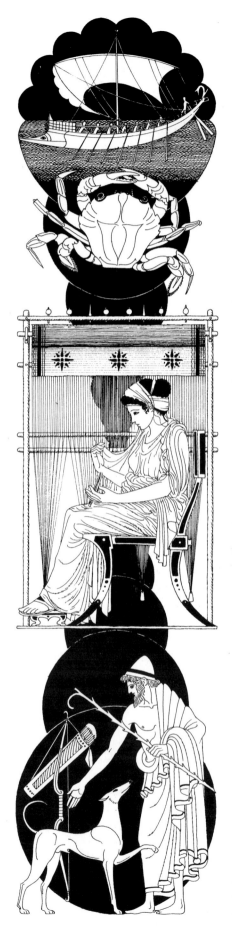

Las peregrinaciones de Ulises

Después de la caída de Troya, los ejércitos griegos no volvieron a Grecia todos juntos. Una vez alcanzado el objetivo común, muchos de los jefes tomaron caminos de regreso diferentes. Sobre el mapa, la distancia entre Troya y Grecia no parecía mucha, pero en realidad era un viaje largo y lleno de peligros, especialmente si intervenían dioses y monstruos. Ulises, gracias a cuyo plan los guerreros griegos consiguieron entrar en Troya, empleó largos años en llegar a su casa de Ítaca.

Ulises y sus naves zarparon en primer lugar hacia aquella región de Tracia meridional, que se encuentra entre dos grandes ríos, el Hebro y el Ergino, pero no pudieron desembarcar porque los habitantes del lugar se opusieron. Se vieron entonces obligados a reemprender el viaje sin el abastecimiento de agua que había pensado encontrar. Tenían la intención de seguir la línea de la costa para estar cerca de tierra en caso de necesidad, pero el mal tiempo, primero, y una terrible tempestad, después, los empujó mar adentro, y las naves estuvieron a merced de los vientos durante muchos días.

La nave de Ulises quedó separada del resto de la flota, y cuando los vientos cesaron y el mar se tranquilizó, los hombres se dieron cuenta de que estaban bordeando la costa de Libia. Era el país de los Lotófagos: en él se producía el loto, la flor mágica del olvido, que tenía la virtud de hacer olvidar todo a quienes lo probaban, que así no volvían a recordar nada de su vida precedente. Ulises decidió hacer una parada para abastecerse de agua potable. Y aunque avisó a sus hombres, algunos comieron la flor del loto y al instante se pusieron a vagar por aquellos lugares con la mente confusa y despreocupados de todo. Temiendo que otros se vieran también tentados a hacer lo mismo, Ulises reunió inmediatamente a todos sus hombres y levó anclas sin pérdida de tiempo.

La parada siguiente fue en Sicilia, en la tierra de los Cíclopes, seres gigantescos con un solo ojo en medio de la frente que se alimentaban de carne humana. Su jefe era Polifemo, hijo de Posidón y de la ninfa Toosa. Hubo un tiempo en que los Cíclopes llevaban una vida muy tranquila: trabajaban los metales y fabricaban los rayos de Zeus bajo la dirección de Hefesto. Pero luego, instigados por Polifemo, se dedicaron a saquear las ciudades y los pueblos.

Ulises no sabía nada de todo eso. En cuanto desembarcaron, sus hombres empezaron a abrirse paso entre las zarzas y las rocas, para explorar la montaña que se alzaba sobre la bahía en que habían anclado la nave. Más allá había un acantilado más bajo y, acercándose, pudieron divisar claramente la abertura de una cueva. Un poco más allá estaban paciendo algunas ovejas de abundante lana.

—Esperadme aquí —dijo Ulises a sus hombres— y quedaos escondidos.

Se adelantó solo, con mucha precaución, y en cuanto estuvo cerca de la entrada se detuvo a escuchar. Sólo se oía el rumor del viento. Tranquilizado, recorrió los últimos metros y miró al interior: no logró distinguir nada. Poco a poco, sus ojos fueron haciéndose a la oscuridad: la cueva estaba vacía. Era mucho más grande de lo que parecía desde el exterior y no había señales de que estuviera ocupada. Probablemente había sido o era el escondrijo natural de algún animal salvaje.

Volvió a la luz del sol y llamó a sus compañeros de viaje.

—Nos meteremos aquí hasta que encontremos un sitio mejor. Mañana iremos a la ciudad o a algún pueblo a comprar trigo y aceite y otras provisiones. Hoy comeremos cordero.

Los hombres se pusieron a trabajar: unos mataron corderos y otros prepararon fuego en el interior de la cueva. Luego se sentaron en círculo y empezaron a comer alegremente: hacía semanas que no comían carne fresca.

Entre tanto se iba acercando la noche, y la luz, poco a poco, se iba debilitando. De repente todo se quedó a oscuras. Y mientras miraban a su alrededor para hallar una explicación del fenómeno, descubrieron la gigantesca figura de un Cíclope que obstruía la entrada. Fue una visión terrible. Hasta Ulises tuvo miedo, aunque no lo dio a entender.

—Quizá nos hemos aprovechado de tu casa y de tu rebaño —dijo—. Perdónanos; creíamos que todo este lugar estaba desierto.

El gigante se limitó a emitir un ruido semejante a un gruñido, luego se dio la vuelta e hizo como que iba a salir. Ulises se puso de pie de un salto, diciendo:

—¡Rápido! Antes de que vuelva tenemos...

Pero no le dio tiempo a terminar porque el gigante estaba ya delante de la entrada y empezaba a meter su rebaño. Luego cerró la abertura con una enorme roca y encendió fuego. Las llamas iluminaron a Ulises y sus compañeros.

El héroe intentó responder con calma a las preguntas del Cíclope, porque era consciente del peligro que corrían. Invocó a Zeus, dios de los viajeros y protector de los extranjeros, y recordó al Cíclope las leyes de la hospitalidad.

Sin mencionar para nada a los hombres que se habían quedado esperándolo, Ulises contó al gigante las peripecias de su travesía. El Cíclope lo escuchó, pero al fin le declaró que tanto Zeus como el resto de los dioses le traían sin cuidado. Y dicho esto, agarró a un hombre con cada mano, y mientras los otros lo miraban horrorizados, los devoró.

En el transcurso de la noche, Ulises estuvo tentado de matar al gigante dormido hundiéndole la espada en el pecho. Pero se contuvo al pensar que en ese caso él y sus amigos quedarían encerrados para siempre en la caverna, porque no habrían sido capaces de mover la piedra que cerraba la entrada.

A la mañana siguiente, el Cíclope devoró otros dos hombres, y a continuación salió de su antro para llevar a los animales a pacer, volviendo a poner la piedra en su sitio.

Durante su ausencia, Ulises ideó un plan audaz para huir de allí. El Cíclope había dejado en la caverna un enorme tronco de olivo. Ulises y sus compañeros se pusieron a sacarle punta con brío y cuando estuvo preparado, metieron la parte aguzada entre las brasas del rescoldo que se mantenía bajo las cenizas. A la caída de la tarde regresó el Cíclope y devoró otros dos hombres. No obstante, Ulises se aproximó y le ofreció una copa de vino exquisito que había traído consigo. El gigante lo probó, luego lo tragó con avidez y le pidió más. Entonces preguntó a Ulises cuál era su nombre para darle las gracias como se merecía por un vino tan delicioso. Y mientras le ofrecía otro tazón, Ulises le dijo que se llamaba Nadie.

—Pues bien, amigo Nadie —dijo el Cíclope riendo a carcajadas—, te obsequiaré comiéndome primero a tus compañeros y dejándote a ti para el final.

Luego, el gigante, nublado por el vino, cayó a tierra y se durmió profundamente.

Entonces Ulises y sus compañeros pusieron al fuego la punta del tronco hasta que estuvo incandescente, y a continuación la hincaron con todas sus fuerzas en el único ojo del gigante. Los alaridos de dolor del Cíclope hicieron estremecer las paredes de la caverna. Ulises y sus compañeros se refugiaron temblorosos en el último rincón de la cueva, lejos del monstruo ciego, preguntándose cómo reaccionaría ahora. A sus gritos, los Cíclopes que vivían por los alrededores preguntaron a Polifemo —y así vino Ulises a saber su nombre— que qué le

pasaba para dar aquellas voces. Con un lamento, el gigante respondió que Nadie quería matarlo. A lo que respondieron los Cíclopes que, si nadie lo mataba ni nadie le hacía daño, seguramente eran los dioses quienes lo castigaban y que en tal caso ellos no podían hacer nada.

Al amanecer abrió Polifemo la entrada de la caverna para sacar el ganado. Sabía que los hombres intentarían huir y estaba decidido a impedírselo.

Pero Ulises había aleccionado bien a sus hombres: cada uno de ellos se colocó debajo de una oveja y se mantenía agarrado a la lana de sus costados. Polifemo no sospechó nada y dejó pasar a los animales, limitándose a pasarles la mano por el lomo, tan familiar para él. Una a una fueron saliendo las ovejas al aire libre, y con ellas también los hombres reconquistaron su libertad.

No perdieron tiempo y se precipitaron montaña abajo hacia la bahía. Mientras se alejaban de la costa e izaban la vela rumbo a alta mar, Ulises gritó a Polifemo:

—¡Adiós, gigante ciego! Y, para que lo sepas, no han sido los dioses, sino los hombres, quienes te han privado de la vista; unos hombrecillos a quienes habrías podido destruir con un dedo.

Al oír aquellas palabras, Polifemo salió de la cueva, llevando entre sus manos la peña que utilizaba para tapar la entrada.

El gigante se volvió hacia el lugar de donde procedía la voz y lanzó la enorme roca con toda su fuerza. Luego cayó de rodillas. La enorme roca fue a dar muy cerca de la popa de la nave de Ulises, produciendo tales olas, que estuvo a punto de zozobrar la nave. La tripulación se volvió para mirar a Polifemo por última vez: era una figura enorme, pero sola y débil, arrodillada sobre el acantilado.

Con la ayuda de Eolo, dios de los vientos, que había encerrado todos los vientos contrarios en un odre de piel de cabra, Ulises navegó hasta llegar a la vista de las costas de su isla, Ítaca. Pero los marineros, creyendo que el odre contenía un tesoro, lo abrieron: entonces los vientos, libres después de tantos días de encierro, soplaron violentamente, y una vez más Ulises y sus compañeros fueron alejados de la costa y empujados mar adentro por una terrible tempestad. Así llegaron a la isla de Eea, la isla de la maga Circe, tía de Medea, de quien se decía que era poco amiga del género humano.

Ulises mandó unos veinte hombres a explorar la isla. La maga se mostró muy hospitalaria, pero había en sus ojos una expresión que a Euríloco, el jefe de la expedición, no le gustó en absoluto. Por ello decidió mantenerse aparte cuando los otros entraron a palacio. En efecto, apenas habían entrado cuando, valiéndose de un encantamiento, los transformó en cerdos.

Euríloco entonces volvió corriendo a la nave para referir a Ulises lo que había sucedido. Era difícil imaginar qué se podría hacer con una maga como Circe. Aun sabiendo que no serviría de nada, Ulises empuñó su espada y se encaminó hacia donde estaban sus compañeros. En aquel momento se le apareció Hermes. El dios le dijo que podría defenderse de los encantamientos de Circe sirviéndose de la flor blanca de una hierba que crecía en la isla, una especie de ajo silvestre.

Ulises se presentó entonces ante la maga con un manojo de aquellas flores.

—No te dejaré en paz hasta que no liberes a mis hombres —le dijo.

Inmediatamente los cerdos recobraron su apariencia humana, pero Circe no quería dejarlos partir porque se había enamorado de Ulises y habría querido tenerlo siempre junto a sí. Ulises se quedó aún durante algún tiempo, pero no estaba tranquilo; tenía miedo de que la maga ejercitase contra ellos algún otro maleficio.

Al fin, Circe decidió que los dejaría irse libremente si Ulises consentía en descender al reino de los muertos para consultar al adivino Tiresias acerca de su futuro. Si le decía que Eea debía ser su nueva patria, tendría que aceptar aquel oráculo; en cualquier caso debería volver a verla para referirle la respuesta.

En el mundo subterráneo, Ulises se alegró de encontrarse con muchos viejos amigos, aunque las noticias de Tiresias no fueron precisamente alentadoras. Lograría volver a Ítaca, sí, pero se encontraría con que en su ausencia los nobles del lugar se habían apoderado de sus tierras y de sus propiedades y aún estaban luchando entre ellos para ver quién se llevaba la mejor parte. Como Ulises había prometido a Circe, volvió con sus compañeros a Eea, y la maga mantuvo su palabra y los dejó marchar. Incluso les advirtió de algunos peligros que se encontrarían en el camino y les explicó cómo superarlos.

La primera asechanza fue la de las Sirenas, extrañas criaturas que hechizaban a los marineros con su irresistible canto. Su voz era tan bella y sus canciones tan melodiosas, que el que las oía se zambullía en las olas, fatalmente atraído por aquel canto mágico, y aquella zambullida resultaba mortal. Siguiendo el consejo de Circe, Ulises ordenó a sus hombres que se taparan los oídos con cera fundida; pero él había oído hablar tantas veces del fascinante canto de las Sirenas que estaba decidido a escucharlo. Para no correr riesgos, mandó que lo atasen estrechamente al mástil de la nave y ordenó que no lo liberasen por ningún motivo, por más violentamente que se lo pidiese.

De aquel modo consiguieron superar aquella

asechanza, y Ulises fue uno de los pocos hombres que pudo oír el canto de las Sirenas sin perecer.

—Aunque, a decir verdad —diría poco después—, en aquel momento habría sacrificado con gusto la vida ante el encanto de sus voces.

Pero a Ulises y sus compañeros aún les aguardaban otras pruebas. Tenían que atravesar un estrecho canal entre dos imponentes acantilados, que estaban dominados por dos monstruos terroríficos: Escila y Caribdis.

Era Escila un monstruo con rostro y pecho de mujer, seis cabezas de perro y doce patas también de perro en la cintura, que, mientras la nave atravesaba el estrecho, estiró sus largos brazos y agarrando a seis marineros, los devoró. Ulises cambió entonces velozmente el rumbo, pero se acercó demasiado al peligroso torbellino de Caribdis. Varias veces al día, con horrendo fragor, el monstruo Caribdis absorbía poderosamente las aguas del mar con los barcos que navegaban por los alrededores, y otras tantas veces los devolvía, y con ellas los miserables restos de navíos y hombres que había absorbido en su remolino. Sin embargo, en medio del viento impetuoso, los hombres navegaban desesperadamente. La proa fue arrastrada hacia un torbellino, y durante varios minutos pareció que todo estaba perdido.

Pero de algún modo, casi sin saber cómo, lograron pasar incólumes.

Apesadumbrados por la pérdida de sus seis compañeros, prosiguieron el viaje. En Sicilia volvieron a pararse para abastecerse de agua, pero esta vez en una localidad lejana de la región de los Cíclopes. Ahora se encontraban en la parte de la isla gobernada por el dios Helio.

Ulises dio orden a sus compañeros de que no se apoderasen de nada: ya habían tenido bastantes cosas que lamentar. Pero mientras dormía, los hombres tomaron algunas cabezas de ganado de los rebaños del dios y las pusieron a asar al fuego. Helio se irritó y se quejó a Posidón, el cual, no habiendo olvidado la ceguera de su hijo Polifemo ocasionada por Ulises, desencadenó una furiosa tempestad en cuanto la nave se encontró en alta mar. La nave se fue a pique con toda la tripulación; sólo Ulises consiguió salvarse.

Hábil nadador, había unido algunos trozos de los restos del naufragio y con ellos había hecho una balsa. Durante varios días anduvo en ella a la deriva. Tenía frío, estaba hambriento y

no le quedaba agua que beber. La tempestad había vuelto a empujarlo al peligroso canal dominado por Escila y Caribdis, y esta vez su frágil balsa fue engullida por el torbellino. Ulises luchó desesperadamente por salvarse, y cuando el agua amenazaba con anegarlo y la muerte parecía inevitable, consiguió agarrarse a la rama de una higuera que crecía en el acantilado y que sobresalía en aquel tramo de costa. Las fauces del monstruo engulleron la balsa y Ulises se mantuvo colgado de la rama hasta que la espantosa boca de Caribdis se cerró y las aguas volvieron a quedarse tranquilas.

Ulises vio entonces una posibilidad de salvación: se zambulló donde ya no podía ser alcanzado por el remolino y se alejó a nado.

Pero era una salvación relativa, porque se encontraba lejos de cualquier playa amiga y el cansancio podía representar un peligro más mortal aún que los dos monstruos. Por suerte vino en su ayuda la diosa Leucotea. En forma de pájaro marino, le entregó un velo que, enrollado a la cintura, le impediría ahogarse.

Ayudado por el velo mágico, Ulises arribó a la costa de una isla. Allí lo encontró Nausícaa, la hija de Alcínoo, rey de aquella isla. El héroe contó la historia de sus aventuras, y el rey le proporcionó una nave y un convoy de escolta para que lo llevaran hasta Ítaca.

Cuando llegaron allá, Ulises estaba durmiendo; los marineros no quisieron despertarlo y lo depositaron suavemente en la playa. Pero, aunque por fin había llegado a su casa, aún le estaban reservadas nuevas pruebas. Cuando se despertó, Atenea estaba junto a él.

—El adivino Tiresias predijo que llegarías a tu isla —le dijo—, y así ha sido. Pero no olvides que también dijo otras cosas.

—Sí, dijo que cuanto poseo estaría en manos de otros. ¿Y eso qué quiere decir? —preguntó—. No debería haber dificultades en cuanto sepan que he vuelto. Pero ¿qué le ha sucedido a mi mujer, Penélope? ¿Y a mi hijo, Telémaco?

—Telémaco ha ido a Esparta para pedir noticias tuyas a Menelao y Helena, que acaban de llegar de Troya —dijo Atenea—. No ha podido impedir lo que está sucediendo porque tus enemigos son muchos y poderosos y, sobre todo, porque en estos momentos están conspirando para matar a Telémaco a su regreso, con la esperanza de eliminar así al último defensor de tu esposa, Penélope. Ella te ha sido fiel; mu-

chos han intentado persuadirla de que se casara, pero con la ayuda de tu hijo ha conseguido rechazar a todos. Y aunque cada vez insisten con más vehemencia y algunos han amenazado con recurrir a medios violentos, ella ha logrado mantenerlos alejados con la promesa de que se decidirá por uno de ellos cuando termine la tela que está tejiendo. De día trabaja, pero por la noche deshace lo que ha hecho durante el día. Sin embargo, tal estratagema ya no podrá durar mucho tiempo, sobre todo si Telémaco no está a su lado.

—¡Todo eso va a acabarse en seguida! —gritó Ulises, irritado—. No temo a esos hombres, aunque sean más de ciento.

Pero Atenea lo invitó a ser precavido. Aunque lograra librarse de todos aquellos hombres, quizá no se daba cuenta de que los veinte largos años de ausencia lo habían cambiado a él también. ¿Estaba seguro de que su mujer no lo rechazaría, creyéndolo un extraño más en busca de sus favores?

Ulises escuchó lo que la diosa le decía y comprendió que tenía razón. Un retraso de unos días no comprometería más la situación. Atenea le sugirió entonces un plan. En primer lugar lo hizo tomar el aspecto de un viejo mendigo, y luego lo acompañó hasta la cabaña de Eumeo, un fiel porquero de Ulises. Hizo además volver a Telémaco de Esparta y lo ayudó para que no cayera en la trampa que le habían preparado los pretendientes de Penélope. Hizo también Atenea que Ulises recobrase, por un poco de tiempo, su verdadero aspecto, para que su hijo pudiese reconocerlo. Pero Telémaco, a la vista de un hombre más viejo de lo que se había imaginado, se quedó sin saber qué hacer.

—En Ítaca están seguros de que mi padre tiene que haber muerto. Quisiera creer que no es verdad, pero ¿cómo puedo estar seguro de que no se trata de otra conjuración para arruinar completamente a mi familia?

En aquel momento, la puerta de la cabaña se abrió con un chillido y en el umbral apareció un viejo perro de caza. Había sido el perro de Ulises, y ahora, a la vista de su dueño, las orejas se le enderezaron y pareció como si sus piernas hubiesen adquirido una nueva energía: corrió a su encuentro y, meneando la cola, se restregó contra él. Las últimas dudas de Telémaco se desvanecieron entonces, y padre e hijo finalmente se abrazaron. Sin embargo, Atenea les dijo que por el momento era mejor no decir nada a Penélope, que así continuaría comportándose como siempre.

Siempre bajo el aspecto de un viejo, Ulises fue con su hijo y el fiel Eumeo al palacio para hacerse cargo en persona de la situación.

Los pretendientes comían y bebían y hacían uso deliberadamente de todo lo que pertenecía a Ulises. Cuando vieron al viejo mendigo entre ellos comenzaron a mofarse de él, haciéndolo repetidas veces blanco de sus pesadas bromas y sin tener el más mínimo respeto debido a un anciano. Penélope estaba sentada en medio de ellos, pero tenía el rostro triste y resignado. Ulises comprendió que por amor suyo debía abstenerse de toda reacción y seguir soportando todos aquellos insultos sin rebelarse.

Estaban tan seguros los nobles de su poder, que ni siquiera se preocupaban de tener junto a sí las armas mientras banqueteaban. Todas las lanzas y las espadas estaban en una antecámara, y lo primero que hizo Ulises en el palacio fue ordenar a Eumeo que las escondiera. Los usurpadores no notaron nada, y la fiesta siguió como siempre, mientras los pretendientes se acercaban, uno por uno, a Penélope con intención de persuadirla a que se decidiera por uno de ellos y se celebrasen por fin las bodas. La reina parecía cansada, y en aquella larga lucha sin tregua había perdido la firmeza inicial: había en ella señales que hacían pensar que empezaba a perder la seguridad de otro tiempo.

—Si alguno de vosotros quiere ocupar el puesto de mi padre —dijo entonces Telémaco—, al menos debería demostrar que es tan hábil como él en el manejo del arco.

Tal vez Penélope advirtió que había algo en la voz de su hijo que le permitía abrigar esperanzas, o quizá simplemente comprendió que debía de haber alguna buena razón para hacer semejante propuesta. El caso es que pidió silencio a los comensales y dijo:

—Es una condición razonable y yo estoy de acuerdo con ella. El que sea capaz de tender el arco de Ulises y haga pasar una flecha por el ojo de doce hachas puestas en hilera será el que obtenga mi mano.

Uno tras otro todos los pretendientes de la reina hicieron la prueba. Pero el arco era tan sólido y resistente que ni siquiera lograban tenderlo, mientras sus rostros se ponían morados por el esfuerzo y la vergüenza. Parecía que cada nuevo contendiente iba decidido a dejar en ridículo al que lo había precedido, pero a la larga todos fueron probando con idéntico resultado. El último, hinchado de rabia, arrojó el arco lejos de sí, declarando que no había modo de tender aquel malhadado arco.

Y entonces, en medio del estupor de todos los presentes, acudió a recogerlo el viejo mendigo de quien todos se habían burlado sin piedad.

—Si no es mucho pedir —dijo—, me gustaría ver el arco y probar si en mis músculos dolientes queda algo de la fuerza de antaño.

Los nobles empezaron a burlarse y escarnecerlo, pero súbitamente las burlas y el escarnio se convirtieron en un murmullo de asombro. El viejo no sólo había tendido el arco sin esfuerzo, sino que la flecha disparada había pasado limpiamente por el ojo de las doce hachas y había dado en el blanco. Hubo un largo silencio, y luego el hombre se enderezó imponente, se arrancó los harapos, se colocó junto a la puerta con el arco y la aljaba llena de flechas y gritó dirigiéndose a los pretendientes:

—La primera prueba ha terminado, amigos; ahora va a empezar la segunda. Voy a escoger un blanco que nunca habéis imaginado, y espero no fallar ninguna flecha.

No había duda: era Ulises, el rey Ulises en persona quien estaba delante de ellos. Todos los nobles se levantaron al mismo tiempo y se precipitaron a la antecámara para coger sus armas. Pero antes de que se dieran cuenta de que habían desaparecido, Ulises y su hijo Telémaco estaban atacándolos con sus flechas, que silbaban pavorosamente sobre sus cabezas. Muchos cayeron heridos de muerte; otros huyeron.

Ulises estaba finalmente en su palacio.

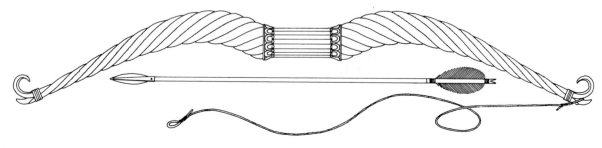

ULISES CUENTA A PENÉLOPE SUS AVENTURAS

Los esposos, después de gozar del amor deseado,
disfrutaban contando uno a otro las propias historias:
refería la divina mujer de lo mucho sufrido
viendo siempre la odiosa reunión de sus malos galanes
que, inculpándola a ella, mataban las recias ovejas
y las vacas sin duelo y vaciaban las tinas del vino.

Luego Ulises, retoño de Zeus, contó los estragos
que él en otros causara y sus mismas penosas fatigas
sin dejarse atrás nada. Gozaba ella oyendo y el sueño
no cerraba sus ojos en tanto seguía el relato.

Fue primero la lucha ganada a los cícones, luego
su venida a la tierra fecunda en que comen el loto
más los hechos del fiero Cíclope y su propia venganza
de los nobles amigos por él sin piedad devorados;
cómo a Eolo llegó, que le dio favorable acogida
y la ayuda al partir, sin que fuera aún su sino la vuelta
a la patria, pues fuerte huracán arrastrólo de nuevo
por el mar, rico en peces, lanzando profundos gemidos;
cómo vino a Telépilo en tierra lestrígona, donde
destruyeron sus naves, mataron sus hombres de grebas
relucientes, y él sólo escapó sobre un negro navío.

Refirióle también el engaño y las trazas de Circe
y su ida en el barco de múltiples remos al Hades,
la sombría mansión, a escuchar los augurios del alma
de Tiresias tebano; allí vio a sus antiguos amigos
y a la madre que al mundo lo trajo y crió de pequeño;
cómo oyó a las Sirenas, perpetuas cantoras, y vino
a las Rocas Errantes, la horrible Caribdis y Escila,
de la cual nadie pudo jamás escapar sin quebranto.

La matanza contó de las vacas del Sol por sus hombres,
la que Zeus, tonante en la altura, vengó disparando
a la rápida nave su rayo encendido; con todos
acabó de una vez; él, su jefe, escapó a la ruïna.

Arribado a la isla de Ogigia, la diosa Calipso
procuró retenerle en su cóncava gruta intentando
que con ella casase; sustento le dio y aun promesa
de volverle inmortal, de vejez liberado por siempre,
mas no pudo con todo vencerle en su pecho. Narróle
cómo luego, sufriendo mil males, llegó a los feacios,
que en sus almas le honraron lo mismo que a un dios y le dieron
para ayuda en la vuelta a su patria un bajel y unos hombres
tras hacerle regalos de oro, de bronce y de ropas.

Y éste fue su relato postrer, pues un sueño süave
le invadió, relajando sus miembros, calmando sus cuitas.

(*Odisea*, XXIII, 300-343)

El simbolismo de los mitos griegos

Los primeros dioses griegos eran personificaciones de fenómenos naturales y estaban estrechamente ligados a los diversos aspectos de la naturaleza. Cada animal, planta o fenómeno natural estaba vinculado a uno o más dioses. Con el tiempo, hasta los objetos creados por el hombre se asociaron a diversas divinidades, poniendo así de relieve sus cualidades o atribuciones propias. Al principio de cada capítulo están representados algunos de los símbolos que tradicionalmente se refieren a la naturaleza y aventuras de los dioses y de los héroes.

Pág. 11. EL MUNDO DE LOS DIOSES.—Animales y vegetales de Grecia desde el Monte Olimpo al mar. Los dioses participaban a cada momento en la vida del hombre.

Pág. 21. HADES, EL SEÑOR DE ULTRATUMBA.—Los cipreses se asociaban con la muerte, y siguen estando presentes en los cementerios del área mediterránea. Estaban consagrados a Hécate, la diosa de la muerte, en otro tiempo diosa de la Luna. El perro de tres cabezas es Cerbero, el guardián de ultratumba. Abajo está Caronte, el barquero que transportaba las almas de los difuntos.

Pág. 25. PERSÉFONE ENTRE LOS MUERTOS.—Deméter era la diosa de las mieses y de todas las plantas vivientes. Aquí está representada entre espigas de trigo, ramitas de olivo y racimos de uvas. Las flores son de granado: precisamente por comer unos granos de granada, Perséfone, hija de Deméter, fue condenada a vivir durante tres meses al año en el mundo de ultratumba.

Pág. 29. EL REINO MARINO DE POSIDÓN.—Posidón era el dios del mar y de todos los seres marinos. Aquí, entre distintos tipos de peces y de moluscos, aparecen el caballo de mar y el tritón: los míticos animales de su reino.

Pág. 33. PROMETEO Y PANDORA.—Prometeo llevó al hombre al fuego del Olimpo: lo escondió entre los tallos de una planta de hinojo para no ser descubierto por Zeus. La orquídea silvestre estaba asociada a Pandora (arriba), de quien se sirvió Zeus para castigar a Prometeo.

Pág. 37. AFRODITA, LA DIOSA DEL AMOR.—Afrodita estaba asociada al mar, de donde había emergido en una concha. Las conchas del tritón eran ofrecidas a la diosa en los templos a ella dedicados. De sus huellas brotaban flores, símbolo de la primavera, la estación del amor. La paloma simboliza el amor, y el pájaro la pasión amorosa.

Pág. 41. ARES, EL DIOS DE LA GUERRA.—Símbolos de la guerra eran el yelmo, la coraza, la espada, la lanza y el venablo, el arco y las flechas.

Pág. 44. ÁRTEMIS Y APOLO.—Apolo era el dios de la música y de las artes. Arriba está representado el sátiro Marsias, excelente flautista, que perdió la competición con el dios. La lira de siete cuerdas era el instrumento particular de Apolo; la corona de laurel, tradicionalmente se colocaba en la cabeza de músicos y poetas. Abajo, el trípode usado en Delfos por la sacerdotisa de Apolo para pronunciar el oráculo. Las amapolas eran las flores más apreciadas por Ártemis, diosa de la caza.

Pág. 53. ATENEA, LA DIOSA DE LA SABIDURIA.—Los principales símbolos de Atenea eran la balanza de la justicia, la lechuza —considerada tradicionalmente como el pájaro más sabio— y otros objetos que se creía que la diosa había enseñado a hacer y utilizar: vasijas de arcilla (pág. 54), el arado, el rastrillo, el yugo, la rueda, la nave, el huso y la devanadera para hilar y tejer, la flauta y la trompeta. Atenea era, además, la diosa de las guerras justas y la protectora de la ciudad de Atenas.

Pág. 58. HERMES, EL MENSAJERO DE LOS DIOSES.—Al convertirse Hermes en mensajero de Zeus, recibió el pétaso o sombrero de ala ancha, las sandalias aladas y el caduceo o vara de oro del heraldo. Se dice que inventó la lira, la flauta de Pan y el modo de predecir el futuro utilizando huesecillos de animales (abajo, a la derecha).

Pág. 60. PAN Y DIONISO: LOS DIOSES SALVAJES.—Pan era el dios de la vida agreste y de los pastores. Los bosques de pinos y encinas eran dominio de Dioniso; una piña coronaba su tirso, cubierto de pámpanos y hiedra.

Pág. 62. LOS TRABAJOS DE HÉRCULES.—Hércules llevaba siempre puesta la piel del león de Nemea, al que mató en el curso de su primer trabajo (arriba). Las dos serpientes recuerdan a las que estranguló en la cuna. El arco y las flechas, la espada y la maza eran sus armas preferidas.

Pág. 73. LAS AVENTURAS DE PERSEO.—La cabeza de la Medusa —que Perseo cortó de su cuerpo— tenía el poder de petrificar a todo el que la mirase, incluso después de muerto el monstruo. A veces figuraba como motivo decorativo en los escudos llamados *gorgoneion*.

Pág. 80. LOS GEMELOS RIVALES.—Cástor y Pólux, los Dióscuros, eran atletas famosos. Polux (arriba), valiente en el pugilato, era el protector de los luchadores; Cástor era domador de caballos. Tras su muerte, fueron simbolizados en la constelación de Géminis o de los Gemelos.

Pág. 85. JASÓN Y EL VELLOCINO DE ORO.—Las aventuras de Jasón en busca del vellocino de oro (centro) lo llevaron a combatir con las Harpías (arriba). Fue ayudado por Medea (abajo), una princesa con poderes mágicos.

Pág. 97. LA HISTORIA DE TEBAS.—Cadmo, el fundador de Tebas, y su mujer Harmonía, al llegar a viejos fueron convertidos en serpientes. Desde entonces todos los descendientes de Cadmo llevaban impreso en su cuerpo el signo de una serpiente.

Pág. 103. TESEO, REY DE ATENAS.—Teseo fue un gran rey y un gran guerrero. El Minotauro (arriba) y el laberinto de Cnosos (centro) son sus símbolos más importantes.

Pág. 113. ORFEO Y EURÍDICE.—Ninfa de los bosques, Eurídice tenía como símbolos las hojas y las flores del bosque. El aliso, el árbol que crece a las orillas de los ríos, representa a Orfeo, cuya lira constituye el trasfondo de la ilustración.

Pág. 119. EROS Y PSIQUE.—Psique, literalmente «soplo», es el alma, y el nombre de una clase de mariposas. El arco y las flechas son el símbolo de Eros, el amor.

Pág. 124. ECO Y NARCISO.—El símbolo de Narciso es la flor que lleva su nombre. También va asociado al lirio.

Pág. 129. LA MUERTE DE LA QUIMERA.—En las hazañas de Belerofonte tiene un papel preeminente el caballo alado Pegaso (centro) y la Quimera (abajo), el monstruo con cabeza de león, cuerpo de cabra y cola de serpiente. Arriba está figurada la fuente de Hipocrene, donde Belerofonte encontró a Pegaso.

Pág. 133. LA CAÍDA DE TROYA.—Las armas del guerrero: el yelmo, la coraza, la espada, el escudo y las grebas. El caballo recuerda al caballo de madera que fue causa de la caída de Troya.

Pág. 144. LAS PEREGRINACIONES DE ULISES.—Penélope (centro) es el símbolo de la fidelidad. La nave (arriba) recuerda las peregrinaciones de Ulises, y los círculos negros, las fases de la luna, símbolo de la larga duración de su «Odisea». El cangrejo representa los peligros de las playas desconocidas, y el perro a Argos, el perro fiel de Ulises, que murió de alegría al reconocer a su amo.

Indice analítico

Los números en cursiva se refieren a las ilustraciones en color